L'INDISPENSABLE
pour réaliser vos
PEINTURES
DÉCORATIVES

P. et P. Knott

HACHETTE

Sommaire

Introduction

Ce livre rassemble toutes les informations nécessaires pour créer des effets de peinture simples ou plus complexes pour décorer chaque pièce de la maison.

Les illustrations du chapitre « Idées et choix » vous guideront dans la variété des finitions que vous pouvez réaliser sur des supports divers. L'équipement est en grande partie celui qui est utilisé pour la décoration classique. En complément, vous trouverez dans « Outils et produits » la présentation de certains ustensiles spécifiques qui sont indispensables pour obtenir une finition de professionnel. Soyez attentif dans le choix des couleurs et préparez soigneusement la surface à décorer. « Choix et préparation » se propose de vous guider dans ce domaine.

La peinture à l'eau tamponnée à l'éponge ou au chiffon peut créer des effets étonnants. Des techniques simples à mettre en œuvre sont présentées dans « Effets simples de peinture ». Lorsque vous aurez acquis de l'expérience, vous utiliserez des glacis qui, parce qu'ils sèchent lentement, permettent de travailler une surface pendant un temps relativement long ; ils produisent des effets aussi originaux que surprenants. Tout ceci est à découvrir dans « Finitions plus élaborées ».

Le chapitre « Patines et illusions » vous explique les différentes techniques qui permettent de vieillir artificiellement meubles et autres objets pour leur donner une patine aussi agréable que décorative. À vous maintenant de créer vos effets et finitions !

Idées
et choix

Les effets de peinture simples ou plus élaborés présentent une telle diversité qu'il est parfois difficile de faire rapidement le choix des couleurs, du style et du motif que l'on veut réaliser.

Vous trouverez dans ce chapitre quelques idées d'effets de peinture exécutés sur des meubles et dans différentes pièces de la maison. Subtile ou audacieuse, chaque finition peut être réalisée sur des supports différents et se marier harmonieusement avec la décoration de votre intérieur.

Préparez votre travail avec soin, prenez le temps de faire des essais, vous serez étonné des résultats ; ceux-ci seront la juste récompense d'un passe-temps agréable qui fera de vous un passionné des finitions picturales !

Peinture au chiffon et peinture à l'éponge

Une petite quantité de peinture, ainsi que des ustensiles aussi courants que des éponges et des chiffons suffisent pour utiliser ces techniques qui sont tout aussi faciles et rapides qu'économiques. Avec la peinture à l'éponge, travaillée dans un ou plusieurs coloris, vous obtiendrez des effets ombrés et nuagés, avec la peinture au chiffon, tamponnée ou appliquée en bandes verticales, vous obtiendrez un effet marbré. Bien que ces effets soient simples à réaliser, il est toutefois préférable de faire des essais avant de commencer.

▶ Une peinture bleue appliquée à l'éponge évoque à la fois la mer et le ciel : un décor idéal pour une salle de bains.

► L'effet nuagé de la peinture murale, que l'on retrouve sur le radiateur, convient parfaitement au décor de cette chambre au mobilier contemporain.

▼ L'effet ombré obtenu avec une peinture ocre donne une patine agréable aux murs en plâtre nu et met en valeur des sculptures contemporaines.

◄ Dans ce salon, la peinture appliquée au chiffon en larges bandes verticales s'harmonise avec les tentures.

▼ Le mariage subtil de deux couleurs appliquées au chiffon sur un fond fauve créent le juste équilibre entre ombre et lumière.

► Préparez la couleur de la peinture que vous appliquerez au chiffon, vous obtiendrez la nuance précise que vous recherchez.

◄ Un effet marbré obtenu en appliquant deux couleurs au chiffon casse la monotonie d'un long mur blanc.

Sacs en plastique et brosses

Les glacis à l'huile ou à l'eau peuvent être mélangés ou travaillés ensemble, ou encore partiellement essuyés. Des outils improvisés tels qu'un sac en plastique ou une brosse à dents peuvent être utilisés pour obtenir des effets originaux qui rehausseront une détrempe. Avec une brosse, vous mouchèterez un glacis, avec des sacs en plastique vous obtiendrez des effets multicolores. Si un mur vous semble une trop grande surface, commencez par la décoration d'une porte ou d'un meuble.

▼ Pour créer un contraste, le glacis appliqué au chiffon et moucheté a été essuyé sur les baguettes qui encadrent les panneaux des portes de ce meuble.

▲ Dans cette salle de bains, le cadre du miroir et les placards ont été peints avec un glacis jaune citron appliqué au chiffon et moucheté, sur un fond blanc.

▲ Tamponner une peinture avec un sac en plastique ajoute une texture originale au choix délicat des couleurs.

◄ Sur les portes de cette penderie, du vert et du rose mélangés ont été mouchetés pour un résultat harmonieux.

▲ La verticalité du lambris a été accentuée par l'application verticale de la peinture. Le siège des toilettes a été recouvert de la même peinture et verni.

▲ La tête du lit a été peinte avec la même technique et la même peinture que le mur, avant d'être décorée au pochoir.

Effets marbrés

Les effets de peinture imitant la pierre et le marbre sont toujours très prisés. Les glacis permettent aux couleurs de s'estomper et leur transparence ressemble à celle des surfaces que l'on veut représenter. Cette type de réalisation prend du temps et demande une bonne préparation ; aidez-vous d'une photo ou d'un croquis. Les grandes surfaces peuvent être partagées en plusieurs zones. Matérialisez les blocs de pierre avec du ruban à masquer ou un pochoir. Créez des effets avec des plumes, des pinceaux ou même un morceau de carton.

▼ L'effet marbré de ce mur a été obtenu en utilisant successivement chiffon et brosse.

▲ L'aspect marbré de la corniche (voir détail à droite) et de la plinthe encadre les motifs du revêtement mural. Les différentes textures s'accordent bien.

◄ Le mélange réussi des couleurs s'harmonise parfaitement avec le mur.

 Deux marbres aux tons contrastés qui se côtoient sont du plus bel effet. La couleur sombre de la plinthe et de la moulure rehausse le contraste.

▼ Ce marbre fantaisie, aux larges veines sombres, a été obtenu en travaillant les couleurs avec des sacs en plastique, puis il a été recouvert de vernis brillant.

◄ Un effet marbré dissimule habilement le mauvais état de cette cheminée en ardoise.

▲ Séparés par une moulure, pierre et marbre en trompe-l'œil habillent cette cage d'escalier.

Choix de finitions

Les effets de peinture peuvent être utilisés en réponse à différentes situations : pour donner une patine, masquer une surface sans intérêt ou créer une ambiance raffinée. Vous pouvez faire resssortir le grain du bois pour un effet naturel ou dessiner du faux bois sur n'importe quel support. Les finitions craquelées donnent un aspect ancien à de petits objets tels que boîtes ou cadres. Avec une peinture à effet, vous pouvez donner du caractère à un meuble ordinaire.

▲ De part et d'autre de la moulure, la finition de ce mur n'est pas la même : peinture au chiffon en bas, peinture à l'éponge en haut.

▼ Deux couleurs ont été mouchetées sur les panneaux des portes. La couleur utilisée dans l'angle des moulures donne une patine à cette armoire banale.

◀ Cette vitrine en bois blanc a été patinée à l'ancienne. Une émulsion bleue a été appliquée sur une émulsion de base blanche.

▼ Les moulures et les arêtes de ce petit meuble ont été vieillies artificiellement par une patine.

▲ L'application d'une peinture à l'eau sur le bois donne un meilleur résultat que le vernis teinté qui masque le grain du bois.

Outils et produits

La plupart des finitions ont l'avantage de pouvoir être créées avec des peintures et des outils de décoration classiques. Parfois des outils et des produits spécifiques permettent d'obtenir un meilleur résultat. Certains effets bien particuliers requièrent l'utilisation d'un produit ou d'un outil de professionnel.

Outils de base

Si vous avez déjà réalisé des travaux de peinture chez vous, vous serez probablement familier avec la plupart des outils décrits sur ces pages.

Vous avez intérêt à acheter un équipement de bonne qualité, que vous conserverez ainsi plus longtemps. Ayez toujours à portée de main certains éléments de base comme la laine d'acier ou des chiffons.

Escabeau
Le bois de l'escabeau traditionnel a été remplacé par de l'aluminium qui est plus léger et résistant. Il doit être suffisamment robuste pour être stable et posséder une plate-forme ainsi qu'une poignée.

Échelle
Simple ou transformable, une échelle est très utile pour atteindre des zones difficiles d'accès, dans une cage d'escalier, par exemple. Elle sera d'autant plus stable qu'elle formera, appuyée contre le mur, un angle de 70° avec le sol.

MÉMENTO
Vérifiez la stabilité de l'échelle ou de l'escabeau avant de monter dessus. Mettez des cales si c'est nécessaire.

Échafaudage
Une ou plusieurs planches appuyées aux deux extrémités sur des barreaux d'échelles de hauteur équivalente permettent de réaliser une plate-forme de travail.

Housses de protection
Des housses de protection ou de vieux draps protégeront meubles et sols des projections de peinture.

Brosses et pinceaux
Un assortiment de pinceaux et brosses de bonne qualité est essentiel pour la peinture de base. Vous les utiliserez longtemps.

Rouleau à poils ras
Très utile pour appliquer un glacis sur de grandes surfaces planes.

Papier de verre
À grain fin ou moyen pour préparer les surface ou poncer entre deux couches de vernis.

Niveau à bulle
Pour que vos verticales
et horizontales
soient parfaites.

Traceur à cordeau
Pour tracer des lignes à la craie, qui
serviront de guide pour peindre au
chiffon des bandes verticales. Peut
être remplacé par une grosse clé
suspendue à une ficelle enduite
de craie.

Règle métallique
Utile lorsqu'on projette de
faire un motif géométrique
sur une zone étendue.

Mètre ruban et craie
Pour mesurer et délimiter
avec précision les surfaces
sur lesquelles vous allez
travailler.

Ruban à masquer
Protège les surfaces proches
de celle que vous travaillez.

Laine d'acier
À grain moyen ou fin
elle est utilisée pour
rayer le bois ou
pour appliquer
de la cire.

Serviette en coton
Pour absorber le surplus
de peinture.

Bocaux avec couvercles
Doivent impérativement être
hermétiques, pour agiter les
mélanges de peintures.

Chiffon
Pour la peinture au chiffon, utilisez des tissus
en coton et polyester mélangés d'environ
30 cm^2 ou légèrement plus grands.

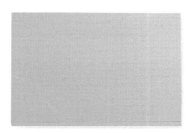

Carton épais
Un morceau de carton rigide
d'environ 30 cm sur 20 cm
vous sera très utile lorsque
vous ferez des finitions dans
les angles.

Assiette
Pour mettre la petite quantité de peinture
nécessaire pour la peinture à l'éponge et la
détrempe.

Récipients en plastique
Pour mettre la peinture ou le glacis
lorsque l'on peint au chiffon. Pour
imbiber facilement le chiffon.

Un équipement de spécialiste

Dans la plupart des cas, vous obtiendrez de bons résultats en utilisant votre matériel de base de décoration, cependant certaines techniques exigent que vous fassiez l'acquisition d'outils spécialisés, notamment des brosses. Achetez les meilleures en fonction de votre budget, nettoyez-les après utilisation avec le produit adapté au type de peinture appliqué et suspendez-les pour qu'elles sèchent.

Brosse à badigeon
Utlisée pour les larges surfaces à lisser ou pour la détrempe.

Brosse à projeter
Peut-être utilisée à la place de la brosse à badigeon.

Brosse à longues soies mixtes
Utilisée pour le lissage, crée un effet intéressant en laissant des marques de différentes intensités.

Brosse de tapissier
Peut s'utiliser à la place de la brosse à badigeon.

Brosses souples
Pour estomper les finitions. La plus souple est la brosse à poils de blaireau, mais pour éviter la disparition de ce petit animal, il vaut mieux utiliser une brosse à lisser ou une brosse à dépoussiérer souple.

Brosse à soies de porc

Brosse à poils de blaireau

Petite brosse à lisser
Pour les travaux minutieux comme les panneaux de porte.

Brosse à dépoussiérer
Peut remplacer la brosse à maroufler, la brosse à lisser ou la brosse à estomper.

Brosses à moucheter
Disponibles en plusieurs tailles. Utilisées pour les finitions au glacis. Peuvent être remplacées par une brosse à encoller en nylon (utilisées pour appliquer du glacis à l'huile, les brosses synthétiques vieillissent vite).

Brosse à encoller
Remplace à moindre coût la brosse à moucheter.

Brosses synthétiques à enduit
Peuvent également être utilisées à la place des brosses à moucheter.

Éponge naturelle

Doit avoir une bonne texture sur chaque face et être écrue. Prenez-en une qui corresponde à la taille de votre main (environ 12 cm).

Éponge végétale

Une éponge en coton ou synthétique peut être utilisée. Découpez-la avec des ciseaux.

Raclette en caoutchouc

Pour enlever le glacis foncé des parties en relief d'une surface texturée, pour faire apparaître une couleur de base plus claire.

Peignes

En métal ou en caoutchouc, utilisés pour obtenir un effet peigné.

Berceau à faux bois

Pour reproduire avec réalisme le grain ou les veines du bois avec un glacis à l'huile ou à l'eau.

Plumes et pinceau fin

Utilisés pour dessiner les veines du marbre. Le pinceau fin peut aussi servir pour les détails d'un travail minutieux.

UTILISER DES PLUMES

Les plumes d'oies sont les meilleures pour les effets marbrés. Que l'effet soit réaliste ou fantaisie, elles sont utilisées pour la touche finale.

On peut également tremper une plume dans du solvant et la passer sur un glacis coloré. Elle estompe les bords et produit un léger effet veiné.

Sacs en plastique

Pour appliquer la peinture, produisent un effet marbré.

Trousseau de clés

Pour rayer une surface en bois, et lui donner un aspect vieilli et abîmé.

Brosse métallique

Pour ouvrir les pores du bois avant de réaliser une finition cérusée.

Peintures et produits

La plupart des finitions de peinture utilisent de grandes quantités d'eau mélangées à de petites quantités de peinture à l'eau très pigmentée ou de glacis à l'eau, ou encore de peinture ou de glacis à l'huile. Quelques effets particuliers nécessitent des solutions spécifiques présentées dans les pages qui suivent. Vous aurez également besoin de certains produits courants utilisés en décoration.

Peinture à l'huile mate et satinée
Peinture résistante ; c'est la base idéale des finitions au glacis.

Émulsion
Sert souvent de décoration de base. Cette peinture à l'eau peut être utilisée diluée pour des effets simples de peinture.

Peinture pour pochoir
Cette peinture à l'eau sèche très rapidement et offre un choix de couleurs intenses intéressant pour les effets simples de peinture et pour teinter les glacis.

Peinture acrylique
Synthétique, résistante et à l'eau, convient pour teinter les glacis acryliques.

Peinture à l'huile en tube
Très pigmentée et à base de térébenthine, idéale pour teinter les glacis à l'huile.

Peinture acrylique en tube
Peinture à l'eau très pigmentée, colorant idéal des glacis acryliques.

Colorants universels
Substance fortement pigmentée, teinte la peinture ou le glacis.

Glacis acrylique

Médium à l'eau, peut être teinté et utilisé pour remplacer le glacis à l'huile. Il est inaltérable au soleil ou à la chaleur, mais doit être travaillé rapidement.

Glacis à l'huile

Médium à l'huile transparent, peut remplacer un vernis à l'huile transparent. Peut être teinté à volonté, long à sécher, jaunit à l'exposition au soleil et à la chaleur.

Crème à dorer

Mélange de cire d'abeilles, de térébenthine et de poudre métallique.

Cire à céruser

Mélange de cire d'abeille et de pigments blancs utilisé pour faire ressortir la texture du bois.

Cire à patiner transparente

Protège les finitions sur les meubles peints et en bois. Utilisée pour donner un aspect vieilli aux peintures à l'eau.

Cire à bougie

Utilisée pour que la peinture n'adhère pas sur certaines zones, pour céer un effet déstructuré.

Vaseline

Substance huileuse qui ne durcit pas. Utilisée pour vieillir le bois.

PEINTURES ET PRODUITS

Glacis acryliqueà craquelures
Permet la réalisation de craquelures sur deux couches d'émulsion ou de peinture acrylique (voir photo ci-dessous).

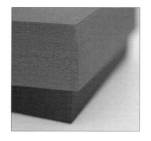

Vernis acrylique à craquelures
Produit des surfaces craquelées, imitant le vieillisssement du vernis.

Vernis à patiner
Vernis à l'huile. Utilisé avec de la gomme arabique, connue sous le nom de vernis à craquelures, permet la réalisation de fines craquelures, semblables à celles de la porcelaine ancienne ou des peintures à l'huile.

Gomme arabique
Utilisée avec du vernis à patiner (à gauche), elle produit des craquelures qui créent un effet plus raffiné que celles obtenues avec un glacis ou un vernis craquelé acrylique (à droite).

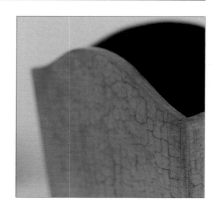

Vernis
Acrylique ou à l'huile, se vaporise ou s'applique au pinceau pour protéger une finition.

Émulsion satinée
Médium de protection à l'eau, identique au vernis. En séchant donne une aspect mat.

▲ Vernis acrylique

▶ Vernis à l'huile

▲ Vernis en aérosol

SICCATIF
Réduit le temps de séchage lorsqu'il est mélangé avec des peintures à l'huile et des vernis.

LES PRODUITS ET LEUR UTILISATION

PRODUIT	SOLVANT	UTILISATION	AVANTAGE	INCONVÉNIENT	RISQUE
ÉMULSION	Eau	Décoration de base À diluer pour effets simples	Bon marché, large éventail de couleurs Sèche vite	Résiste mal à un usage intensif	Minimal
PEINTURE ACRYLIQUE	Eau	Décoration de base Pour petites surfaces	Choix assez large de couleurs, résistante Sèche vite	Ne se trouve pas partout Assez cher	Minimal
PEINTURE MATE	White-spirit	Décoration de base Pour toutes surfaces	Produit courant Grand éventail de couleurs, résistante	Assez cher Temps de séchage long	Éviter le contact prolongé Odeur désagréable
GLACIS À L'HUILE TRANSPARENT	White-spirit	Peut être teinté pour finitions décoratives	Permet un long temps de travail Agréable à utiliser	A tendance à jaunir Temps de séchage long	Éviter le contact prolongé Odeur désagréable
GLACIS ACRYLIQUE	Eau	Peut être teinté pour finitions décoratives	Sèche vite Ne jaunit pas	Temps de travail court	Minimal Odeur qui peut être désagréable
PEINTURE POUR POCHOIR	Eau	Peinture de base ou pour teinter un glacis acrylique	Choix assez large de couleurs Sèche vite	Ne se trouve pas partout	Minimal
PEINTURE À L'HUILE EN TUBE	White-spirit	Utilisée pour teinter les glacis à l'huile	Choix assez large de couleurs Produit courant Riche en pigments	Cher Peut réduire le temps de séchage	Les pigments peuvent être toxiques
COLORANT UNIVERSEL	White-spirit	Utilisé pour teinter les glacis à l'huile	Produit courant	Choix de couleurs limité	Les pigments peuvent être toxiques
VERNIS ACRYLIQUE	Eau	Protection des peintures à l'eau	Ne fane pas Sèche vite	Peut abîmer les peintures à l'huile	Minimal
VERNIS À L'HUILE	White-spirit	Protection de toute surface	Très résistant Produit courant	Sèche lentement Tend à jaunir	Éviter le contact prolongé Odeur peut être désagréable
ÉMULSION SATINÉE	Eau	Protection	Sèche vite Transparente	Peu durable	Minimal
VERNIS À PATINER	White-spirit	Pour veillir et craqueler les surfaces	Idéal pour un aspect rustique	Cher	Éviter le contact prolongé
GOMME ARABIQUE	Eau	Utilisée avec du vernis à patiner pour faire des craquelures	Idéal pour un aspect rustique	Cher Demande une protection	Éviter le contact prolongé
GLACIS ACRYLIQUE À CRAQUELURES	Eau	Produit un effet en séparant deux peintures à l'eau	Procédé rapide et efficace Demande de l'entretien	Difficile à appliquer Ne convient qu'à des petites surfaces	Minimal
VERNIS ACRYLIQUE À CRAQUELURES	Eau	Pour faire des craquelures sur les peintures à l'eau	Procédé rapide et efficace Demande de l'entretien	Difficile à appliquer Ne convient qu'à des petites surfaces	Minimal
CIRE	Térébenthine	Pour lustrer et vieillir	Facile à employer	Demande des applications régulières	Éviter le contact prolongé

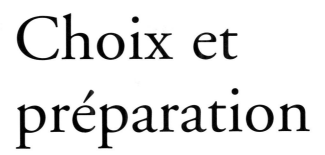

Choix et préparation

Avant de réaliser une finition, choisissez avec soin les couleurs que vous allez utiliser afin de les coordonner harmonieusement avec les objets présents dans la pièce. Faites plusieurs essais de couleurs. Votre choix sera plus facile si vous considérez, en plaçant les échantillons sur les surfaces à travailler, le résultat qu'offrent les couleurs selon l'éclairage (artificiel ou naturel). La surface à décorer doit être bien préparée, vérifiez qu'elle permet l'application de la technique que vous désirez. Certains effets masquent les surfaces abîmées alors que d'autres font ressortir les irrégularités. Le tableau des pages 36-37 vous aidera à choisir la finition idéale.

Dans ce chapitre

Choix des couleurs

Savoir comment les couleurs peuvent être associées et connaître l'interaction des tons vous aidera dans vos choix. Pour obtenir le meilleur résultat, installez pendant quelques jours des échantillons de couleurs dans la pièce à décorer. Le premier choix n'est pas toujours le plus judicieux !

LE MÉLANGE DES COULEURS

En théorie, les couleurs primaires (bleu, jaune et rouge), savamment dosées, permettent de créer une infinité de coloris (voir l'exemple de gauche) qui peuvent être éclaircis ou foncés selon que l'on y ajoute du noir ou du blanc (voir p. 52-55). Obtenir une couleur précise n'est pas aussi simple, mais il existe aujourd'hui dans le commerce une gamme très étendue de teintes qu'il suffit de modifier légèrement si l'on a des exigences particulières.

Utilisation de la roue chromatique

Pour associer les couleurs, il faut connaître et suivre trois règles de base.

Couleurs complémentaires

Les couleurs diamétralement opposées sur la roue chromatique sont appelées couleurs complémentaires parce quelles regroupent toutes les nuances du spectre. Jouez sur le contraste entre deux couleurs complémentaires : par exemple, en plaçant un orange sur une étoffe bleue ou mauve ou encore en utilisant le dynamisme du mariage entre l'orange et le vert.

Couleurs proches

Les couleurs qui se situent côte à côte sur la roue chromatique sont proches et se marient harmonieusement. Cependant, l'emploi seul de couleurs proches rendrait la surface travaillée monotone et sans contraste.

Couleurs en harmonie

Trois couleurs dont la position est équidistante sur la roue chromatique seront parfaitement en harmonie.

Atténuer une couleur

Deux couleurs complémentaires mélangées produisent un gris moyen. Ceci peut être exploité pendant le mélange des couleurs. La force d'une couleur sera diminuée en lui additionnant sa couleur complémentaire. Le blanc réduit l'intensité du ton tout en conservant sa pureté.

L'ajout de noir diminue la clarté d'une couleur.

Le blanc atténue la couleur, mais la rend plus lumineuse.

L'équilibre des couleurs

L'intensité d'une couleur dépend du fait qu'elle est plus ou moins vive ou terne, alors que sa luminosité découle de sa clarté. Pour un bon équilibre visuel, aucune couleur ne doit dominer les autres. Utiliser des couleurs dont l'intensité et la luminosité sont équivalentes est aussi important que de les coordonner.

Le mélange de couleurs complémentaires produit un gris moyen.

EFFET DE LA LUMIÈRE SUR LES COULEURS

Lumière artificielle
La lumière modifie les couleurs. Avec une lumière artificielle jaune, les bleus semblent verts.

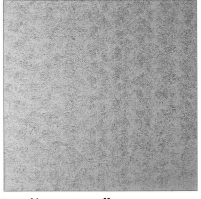

Lumière naturelle
Choisissez des couleurs qui supportent aussi bien la lumière naturelle que la lumière artificielle.

COMBINAISONS DE COULEURS

Pour obtenir de belles combinaisons de couleurs, reprenez les couleurs dominantes d'un décor qui vous plaît, et inspirez-vous aussi de la nature.
Les finitions picturales d'une pièce sont la toile de fond sur laquelle vous disposerez vos meubles, elles ne doivent pas les écraser.

Harmonie des couleurs

Le choix d'une harmonie de couleurs pour la décoration d'une pièce sera décisif pour en changer l'ambiance et l'apparence. La pièce est-elle claire ou sombre, chaleureuse ou froide ? Est-elle vaste ou trop petite, a-t-elle un plafond trop bas ? Est-elle surtout occupée durant la journée ou plutôt en soirée ? Toutes ces considérations devront être prises en compte pour le choix des couleurs, qui sera déterminant pour réussir votre décoration. Ce choix devra faire l'objet d'une réflexion approfondie.

CHOISIR LE STYLE

La grande diversité de couleurs, styles et textures que l'on peut obtenir avec des effets de peinture vous permettra de personnaliser vos finitions intérieures. Mais ces choix, qui peuvent s'avérer délicats, risquent d'être une source de confusions et de rendre les débuts difficiles.

Quelques principes de base vous aideront à choisir des associations de couleurs claires et foncées, froides ou chaleureuses et à comprendre l'intérêt des motifs pour transformer les dimensions d'une pièce.

La première étape consiste à faire sur le papier un schéma précis de la pièce et des éléments décoratifs auxquels vous pensez, avant même de tester les couleurs ; rapportez-vous pour cela à la page 28. Prenez une photographie de la pièce que vous avez l'intention de décorer, puis faites plusieurs photocopies agrandies. Dessinez, tracez sur celles-ci vos projets et vos idées. Cela vous aidera à découvrir les défauts et vous permettra de faire les bons choix.

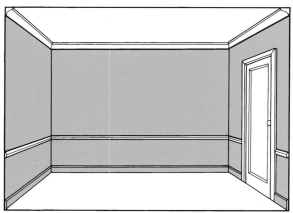

Les couleurs chaudes créent une ambiance chaleureuse dans une pièce qui paraît plus petite.

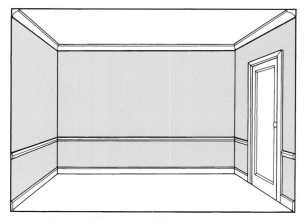

Les couleurs claires agrandissent les volumes et donnent une impression d'espace.

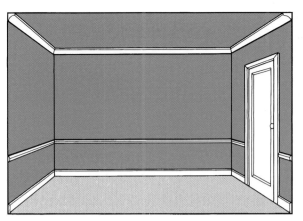

Les couleurs sombres rétrécissent l'espace et donnent l'impression que les plafonds sont bas.

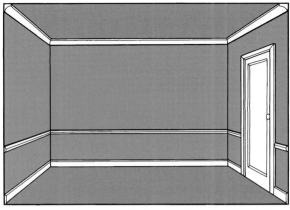

Les couleurs foncées à la fois sur le sol et le plafond rapprochent ces deux surfaces.

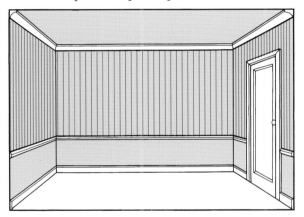

Les bandes verticales attirent le regard vers le haut, ce qui fait paraître le plafond plus haut.

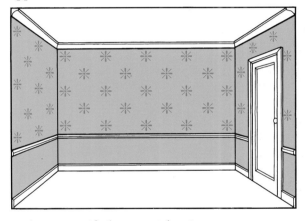

Les larges motifs donnent à la pièce un aspect confortable, mais qui peut être étouffant.

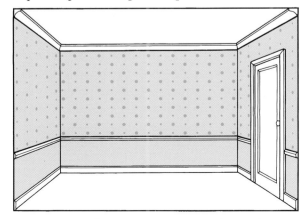

Les petits motifs, tout comme toutes les couleurs claires, créent une impression d'espace.

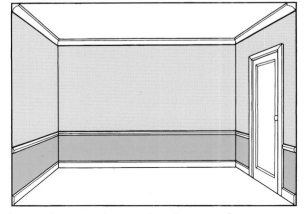

Les couleurs sombres en bas des murs ferment l'espace. Un plafond clair agrandit l'espace.

Préparation des murs

Pour obtenir un résultat satisfaisant, il faut préparer les surfaces à décorer. Il n'est pas indispensable qu'elles soient dans un état parfait, mais elles doivent convenir à la finition souhaitée. Passez la main sur le mur pour vérifier son état. Sur une surface rugueuse ou abîmée, évitez les effets veinés, c'est la peinture à l'éponge ou au chiffon qui donnera le meilleur résultat. Le tableau des pages 36-37 vous aidera à choisir la surface appropriée pour chaque finition. Des ouvrages de décoration plus spécialisés peuvent vous être utiles pour la préparation des surfaces.

SURFACES PLÂTRÉES

1 Utilisez un grattoir triangulaire pour enlever le papier peint ou la peinture et le plâtre écaillés. Poncez ensuite légèrement la surface. Protégez vos mains avec des gants et portez un masque pour ne pas inhaler de poussière lorsque vous travaillez.

2 Nettoyez la surface avec un détergent domestique ou une eau savonneuse. Utilisez un enduit à la silicone pour combler les trous afin de rendre la surface la plus plane possible.

3 Lorsque la surface est sèche, poncez à nouveau. Entre le bois et les murs, utilisez un enduit souple pour reboucher les joints, et enlevez le surplus avec une éponge.

4 Appliquez la première couche de peinture, en utilisant un pinceau, un rouleau ou un tampon, deux couches suffisent. Poncez légèrement la surface entre les couches. Suivez toujours les instructions du fabricant, et soyez attentif aux précautions d'utilisation.

PROBLÈMES ET SOLUTIONS

Dissimulation des surfaces abîmées

L'application de deux couleurs de peinture au chiffon (voir p. 46-47) peut être une bonne solution pour dissimuler une surface abîmée ou terne. Elle est, de plus, économique, facile et rapide.

Attention aux éclairages

Pensez que l'éclairage qui met involontairement en valeur un mur attire l'attention sur la moindre imperfection. Évitez de mettre en lumière les surfaces abîmées même après avoir utilisé une peinture de finition, afin de les dissimuler.

Les papiers matiérés

La balle d'avoine et les papiers gaufrés sont difficiles à enlever, car on risque d'abîmer la surface qui est en dessous en les arrachant. L'utilisation de deux couleurs ou plus (voir p. 42-43) passées à l'éponge vous aidera à masquer ce type de surfaces texturées.

MÉMENTO

Suivez toujours les instructions du fabricant, surtout lorsque vous utilisez des produits qui contiennent des solvants.

SURFACE ANCIENNE ET PLÂTRE CHAULÉ

Si vos plâtres anciens exigent des retouches, utilisez une résine synthétique additionnée de silicone pour une réparation à long terme.

Préparation des bois

Les meubles et éléments de décoration en bois se prêtent à l'utilisation de vernis de finition (voir p. 52-73) ainsi qu'à la patine de leurs surfaces (voir p. 74-91). Cependant, une préparation soigneuse est nécessaire afin d'obtenir un excellent résultat. Toutes les surfaces modernes en bois, en contreplaqué (fibres médium), en bois aggloméré mélaminé, se trouvent dans le commerce déjà préparées. Vous trouverez des informations plus précises dans les ouvrages spécialisés. Un tableau récapitulatif (voir p. 36-37) énumère les types de bases appropriés aux différentes finitions.

LE BOIS ET LES SURFACES IMITANT LE BOIS

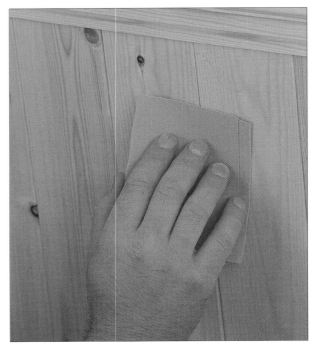

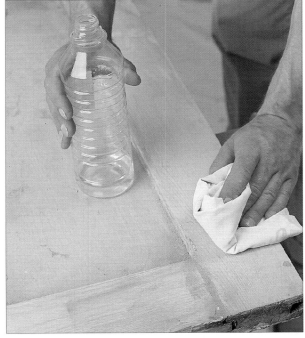

1 Préparez les surfaces en les ponçant légèrement pour éliminer les aspérités et avoir une bonne base. Nettoyez les surfaces peintes ou mélaminées en utilisant un détergent ou une eau savonneuse. Suivez les instructions de l'étape 2 avant d'appliquer la peinture.

2 Dépoussiérez avec une brosse puis un chiffon imbibé de white-spirit. Masquez les nœuds du bois avec de la pâte à bois. Vous trouverez en droguerie des chiffons antistatiques, bien utiles pour obtenir une surface exempte de poussière, base de travail idéale.

3 Pour la plupart des peintures, il est préférable d'appliquer plusieurs couches fines. Avant de peindre du bois brut, appliquez une à deux couches d'apprêt.

4 Poncez la surface avec du papier de verre à grain fin avant de commencer et entre les couches. Peignez les meubles et éléments de cuisine et les placards de salle de bains avec de la peinture à l'huile, réputée plus résistante.

5 Choisissez de préférence la base la plus appropriée à la finition que vous souhaitez appliquer (voir p. 36-37). Que la finition ait été réalisée avec de la peinture à l'eau ou de la peinture à l'huile, une couche de vernis la protégera.

UTILISATION DE FIBRES MÉDIUM
Les fibres médium sont d'excellentes surfaces. Soyez vigilant lorsque vous préparez une surface de ce genre, car la poussière résultant du ponçage est toxique. Portez un masque et travaillez à l'extérieur, si possible, sinon dans une pièce bien aérée.

MÉMENTO
Suivez toujours les instructions du fabricant, surtout lorsque vous utilisez des produits qui contiennent des solvants.

CHOISIR LES PEINTURES

FINITION	ÉPONGE	AU CHIFFON	PEINDRE AU CHIFFON	LISSAGE	LISSAGE	PEINTURE CHIFFON CLASSIQUE	PEINTURE PROJETÉE	PEINTURE AVEC PLASTIQUE	DÉTREMPE
VOIR PAGE	42	44	46	48	56	58	60	64	68
DIFFICULTÉ De 1 à 10 Facile à difficile	1	1	2	2	2	3	2	2	3
SUPPORT IDÉAL	Émulsion mate	Émulsion mate	Émulsion mate	Émulsion mate	Peinture satinée	Peinture satinée	Peinture satinée	Peinture satinée	Peinture satinée
AUTRE SUPPORT POSSIBLE	Émulsion satinée	Émulsion satinée	Émulsion satinée	Émulsion satinée	Émulsion vinyle satinée Vernis Mélamine	Émulsion vinyle satinée Vernis Mélamine	Émulsion vinyle satinée Vernis Mélamine	Émulsion vinyle satinée Vernis Mélamine	Émulsion vinyle satinée Vernis Mélamine
TEXTURE SUPPORT	Possible sur support brut	Possible sur support brut	Possible sur support brut	Possible sur support brut	Support lisse et propre requis	Tout support	Tout support	Tout support	Fait ressotir les imperfections
PEINTURE UTILISÉE	Solution de peinture à l'eau	Solution de peinture à l'eau	Solution de peinture à l'eau	Solution de peinture à l'eau	Glacis acrylique ou à l'huile	Glacis acrylique ou à l'huile	Glacis acrylique ou à l'huile	Glacis acrylique ou à l'huile	Glacis acrylique ou à l'huile
PROTECTION RECOM-MANDÉE	Aucune	Aucune	Aucune	Aucune	Vernis approprié	Vernis approprié	Vernis approprié	Vernis approprié	Vernis approprié
SURFACE APPROPRIÉE	Murs ou meubles	Murs ou meubles	Murs ou meubles	Murs ou meubles	Murs ou meubles	Murs ou meubles	Murs ou meubles	Murs ou meuble	Murs ou meuble
TOXICITÉ ET RISQUE	Aucun	Aucun	Aucun	Aucun	Éviter le contact prolongé des glacis à l'huile avec la peau	Éviter le contact prolongé des glacis à l'huile avec la peau	Éviter le contact prolongé des glacis à l'huile avec la peau	Éviter le contact prolongé des glacis à l'huile avec la peau	Éviter le contact prolongé des glacis à l'huile avec la peau

COULEUR FROTTÉE	AU PEIGNE	FAIRE UNE PATINE	CIRE À PATINER	CRAQUELÉ ACRYLIQUE	CRAQUELURE	FINITION CÉRUSÉE	EFFET MARBRÉ	BOIS PEIGNÉ	BERCEAU À BOIS
70	72	76	78	80	82	84	86	90	90
2	3	4	3	7	6	3	8	7	5
Peinture satinée	Peinture satinée	Toute	Émulsion mate vinyle	Émulsion vinyle ou acrylique	Peinture satinée	Bois préparé	Peinture satinée	Peinture satinée	Peinture satinée
Émulsion vinyle satinée Vernis Mélamine	Émulsion vinyle satinée Vernis Mélamine	Aucune	Aucune	Aucune	Surface non poreuse	Aucune	Émulsion vinyle satinée Vernis Mélamine	Émulsion vinyle satinée Vernis Mélamine	Émulsion vinyle satinée Vernis Mélamine
Fait ressortir les imperfections	Support lisse et propre requis	Fait ressortir les imperfections	Fait ressortir les imperfections	Fait ressortir les imperfections	Tout support	Tout support	Support lisse et propre requis	Support lisse et propre requis	Support lisse et propre requis
Glacis acrylique ou à l'huile	Glacis acrylique ou à l'huile	Vaseline ou cire	Cire à base d'essence de térébenthine	Glacis ou vernis acrylique à craquelures	Vernis à patiner et gomme arabique	Cire à céruser	Glacis acrylique ou à l'huile	Glacis acrylique ou à l'huile	Glacis acrylique ou à l'huile
Vernis approprié	Vernis approprié	Vernis approprié	Aucune	Vernis	Vernis à l'huile	Cire à meuble	Vernis approprié	Vernis approprié	Vernis approprié
Surfaces texturées	Murs ou meubles	Meubles	Meubles ou boiseries	Petits meubles simples	Toute surface surtout petite	Tout bois poreux	Murs ou meubles	Murs ou meubles	Murs ou meubles
Éviter le contact prolongé des glacis à l'huile avec la peau	Éviter le contact prolongé des glacis à l'huile avec la peau	Éviter le contact de la cire à la térébenthine avec la peau	Éviter le contact de la cire à la térébenthine avec la peau	Aucun	Éviter le contact prolongé avec la cire à patiner	Éviter le contact avec la cire si elle contient de la térébenthine et du titane	Éviter le contact prolongé des glacis à l'huile avec la peau	Éviter le contact prolongé des glacis à l'huile avec la peau	Éviter le contact prolongé des glacis à l'huile avec la peau

Effets simples de peinture

Ces effets simples de peinture constituent une finition qui peut être exécutée facilement et rapidement, tout en donnant des résultats remarquables. Il s'agit aussi bien d'adaptations de finitions traditionnelles plus compliquées (voir p. 52-73) que de techniques réalisables grâce à des produits récemment apparus sur le marché. Vous serez étonné de voir combien ces derniers vous permettront d'acquérir une bonne maîtrise de la couleur et de la texture. Ainsi, la finition obtenue sera une création très personnelle. Lorsque vous aurez réussi un effet de peinture, vous n'aurez qu'une envie : continuer !

Dans ce chapitre

Mélange des couleurs

Les effets de peinture exigent une bonne organisation du temps et des produits. Faites toujours un échantillon pour améliorer votre technique et vérifier comment les couleurs choisies réagissent à la lumière naturelle et à la lumière artificielle. Les solutions de peinture utilisent de petites quantités de peinture très pigmentées, mélangées à beaucoup d'eau. Un petit pot en verre contenant 15 ml de peinture et à moitié rempli d'eau devrait suffire pour peindre à l'éponge deux pièces de taille moyenne.

PRODUITS : peinture à l'eau, (émulsion ou peinture acrylique pour pochoir), pot en verre, verre doseur, tissu absorbant

DOSAGE ET POUVOIR COUVRANT DES PEINTURES À L'EAU

	EAU	PEINTURE*	COUVERTURE
ÉPONGE	10 à 30 (sombre/clair)	1	3 ml par m²
CHIFFON	5 à 25 (sombre/clair)	1	5 ml par m²
DÉTREMPE	10 à 20 (sombre/clair)	1	15 ml par m²

Peinture pour pochoir ou émulsion très pigmentée

Coul. sombre : 5 à 10 vol. eau pour 1 vol. peinture

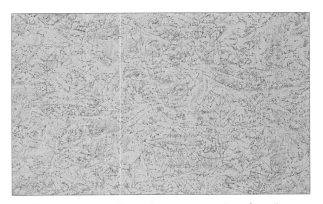

Coul. moyenne : 20 vol. eau pour 1 vol. peinture

Coul. claire : 30 vol. eau pour 1 vol. peinture

1 Réunissez le matériel sur une surface de travail. Versez une petite quantité de peinture dans le pot en verre.

2 Ajoutez de l'eau chaude à la peinture en respectant les proportions pour créer l'effet souhaité (voir tableau p. 40).

3 Fermez le pot hermétiquement, enveloppez-le avec le tissu absorbant, puis agitez-le.

4 Vérifiez qu'il n'y a pas de dépôt au fond du bocal et que la peinture est bien mélangée afin d'éviter un changement de couleur durant l'utilisation. Agitez à nouveau si nécessaire. Faites un essai sur du papier d'apprêt pour vous assurer que le résultat correspond bien à la couleur que vous avez choisie.

CONSEILS DE PROFESSIONNEL

L'eau chaude permet à la peinture de se diluer rapidement. Lorsque vous utilisez 2 ou 3 couleurs, vérifiez que leur intensité est la même. La solution de peinture à l'eau se conservera longtemps, si elle est à l'abri du froid.

Peinture à l'éponge

La peinture à l'éponge est un moyen rapide et économique pour décorer et coordonner les murs d'une pièce.
La peinture à l'éponge est un loisir très agréable et, selon les couleurs choisies, vous obtiendrez une toile de fond douce et subtile ou hardie et originale. Cette technique permet de masquer les défauts du mur et de dissimuler le plâtre abîmé ou le papier démodé (voir p. 33).
Les erreurs sont facilement réparables : utilisez une éponge propre, imbibée d'un peu de peinture non diluée.

OUTILS : éponge naturelle, rectangle de carton

PRODUITS : housse de protection, solutions de peinture en 2 ou 3 couleurs, assiette, tissu absorbant

BASE : sur les murs émulsion à l'eau

1 Versez dans une assiette 15 ml de peinture (voir p. 40-41), avec laquelle vous imbiberez bien l'éponge.

2 Faites un essai sur du papier. Appliquez l'éponge sur le mur de façon régulière, afin d'obtenir une coloration égale, mais aléatoire.

3 Pour travailler près du plafond ou dans les angles, utilisez un morceau de carton qui vous servira de protection. Un chiffon vous sera utile pour essuyer les taches.

4 L'éponge imbibée de peinture peut couvrir plusieurs mètres carrés avant d'être sèche. Pour rehausser la couleur, repassez plusieurs fois au même endroit.

5 Il est plus facile d'ajouter que d'enlever de la couleur. Vérifiez régulièrement la finition en vous reculant pour juger de l'effet obtenu. Arrêtez-vous lorsque le résultat vous convient.

6 D'autres couleurs peuvent être ajoutées car la peinture sèche rapidement sur le mur. La même éponge peut être utilisée pour plusieurs couleurs, mais doit être rincée et séchée entre chaque changement de teinte.

7 Choisissez des couleurs qui soient en harmonie avec l'ameublement. Dans le cas ci-dessus, le vert est utilisé pour la première couche, suivi du rose puis du pêche.

DENSITÉ DE LA PEINTURE À L'ÉPONGE

Aspect dense
L'application de motifs rapprochés produit un effet coloré, dense et vigoureux.

Aspect lumineux
L'espacement des motifs laisse la couleur de base s'épanouir tout en douceur.

POUR UNE BONNE PRÉPARATION

Faites toujours des essais avant de commencer à peindre la surface à décorer. L'éponge naturelle est agréable à tenir, et fournit une bonne texture, quelque soit la façon dont vous l'utilisez.

Les éponges gonflent lorsqu'elles sont mouillées, choisissez-en une légèrement plus petite que la taille de votre main. Vous pouvez utiliser une éponge végétale, mais vous n'obtiendrez pas de motifs aussi intéressants.

Peinture au chiffon 1

Peindre au chiffon en utilisant de la peinture à l'eau est une version simplifiée de la peinture au chiffon classique. Vous pouvez choisir entre un contraste dynamique et un effet plus doux et chaleureux qui ressemble à de la panne de velours. Faites des essais de couleurs avant de commencer.

OUTILS : nettoyant, tissu coton et polyester mélangés (ou pur coton), propre et sans ourlet, de 30 cm sur 20 cm, morceau de carton

PRODUITS : housse de protection, solutions de peinture à l'eau en 1 à 3 couleurs, récipient plastique, tissu absorbant

BASE : sur les murs émulsion à l'eau

1 Sur une surface de travail protégée, transvasez la peinture (voir p. 40-41) dans un récipient. Vous pouvez alors y immerger le premier chiffon.

2 Essorez le chiffon au-dessus du récipent et éliminez le surplus en l'essuyant sur les bords. L'excès de peinture présent sur vos mains sera absorbé au cours du travail.

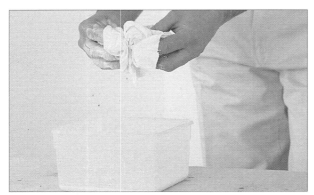

3 Faites une boule avec le chiffon. Attention à ne pas faire de plis qui se matérialiseraient sous forme de marques disgracieuses sur le mur.

4 Appliquez le chiffon sur le mur avec douceur et régulièrement, afin d'obtenir, par petites touches successives, la densité recherchée.

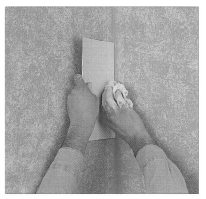

5 Aux angles et en haut des murs, utilisez un morceau de carton pour protéger le mur adjacent ou le plafond. Tamponnez alors la zone à peindre sans risque de déborder.

RÉHUMIDIFIER LE CHIFFON

Après avoir couvert 1m², le chiffon commence à sécher. Plongez votre main dans la peinture et égouttez-la au dessus du chiffon. Faites-le deux fois.

6 Pour ajouter une deuxième couleur, suivez les étapes 1, 2 et 3. L'addition d'une deuxième et même d'une troisième couleur peut être effectuée le même jour ou plus tard.

7 Si vous avez commis une erreur, appliquez à l'éponge une touche de la peinture de base non diluée. Si cette application masque les apports de couleurs que vous avez faits, recommencez.

UN EFFET SOPHISTIQUÉ
Associez la peinture au chiffon à des peintures à l'éponge (voir p. 42-43) ou à une détrempe (voir p. 48-49).

HYGIÈNE
Cette façon de peindre n'étant pas agressive, il est inutile de porter des gants de protection.

STOCKAGE DU MATÉRIEL
Rangez le chiffon sans l'essorer dans un bocal bien fermé. Vous pourrez ainsi à tout moment effectuer les retouches nécessaires.

Effet lumineux
Faites ressortir un gris perle avec des touches de bleu et de brun.

Effet velouté
Appliquez des touches de bleu et de beige, sur un fond vert clair.

Peinture au chiffon 2

Peindre au chiffon en utilisant une solution de peinture à l'eau est moins salissant et plus rapide que peindre au chiffon avec de la peinture à l'huile (voir p. 58-59). On peut utiliser le chiffon comme un rouleau, c'est-à-dire l'appliquer en bandes verticales régulières.

OUTILS : nettoyant, tissu carré de 30 cm de côté, en coton et polyester mélangés (ou pur coton), propre, fil à plomb, morceau de carton

PRODUITS : housse de protection, solutions de peinture en 1 à 3 couleurs, récipient plastique, tissu absorbant

BASE : sur les murs émulsion à l'eau

1 Transvasez la peinture (voir p. 40-41) dans un récipient posé sur une surface de travail protégée. Immergez le chiffon.

2 Essorez le chiffon au-dessus du récipient, et essuyez l'extérieur de votre main sur le bord du récipient. Le surplus de peinture sera absorbé au cours du travail.

3 Donnez au chiffon une forme ovoïde sans le rouler ni le plier. Chaque fois que vous le réhumidifiez, donnez lui un forme différente pour éviter de créer un motif répétitif.

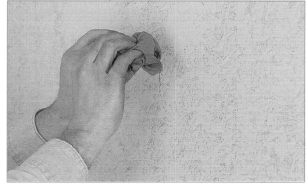

4 Utilisez les deux mains pour faire glisser le chiffon sur le mur sur une bande verticale et rectiligne d'environ 10 cm de large. Pour la première largeur, servez-vous d'un fil à plomb.

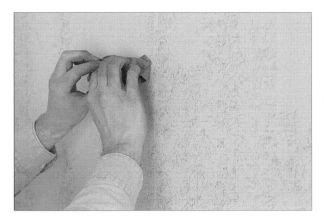

5 Le mur peut être divisé horizontalement en trois parties traitées séparément. Pour que les raccords ne soient pas visibles, les sommets des verticales ne doivent pas être à la même hauteur.

6 Après avoir tamponné une surface d'1m², le chiffon commence à sécher. Plongez la main dans la peinture et égouttez-la au-dessus du chiffon. Recommencez l'opération une seconde fois.

7 Pour les angles, utilisez un morceau de carton (voir p. 44-45), appliquez-le sur le mur adjacent à celui où vous travaillez, en guise de protection.

8 Vous pouvez appliquer une seconde et même une troisième couleur sur la première ou faire alterner des bandes verticales de couleur différente.

EFFET À UNE OU PLUSIEURS COULEURS

Trois couleurs créent un effet luxuriant.

Une couleur claire produit un effet de givre.

Sensation de confort avec une couleur chaude.

BOÎTE À IDÉES

Peindre un mur au chiffon en bandes verticales donne une finition raffinée, sur laquelle on peut appliquer des touches de couleurs supplémentaires, en harmonie avec la peinture des plinthes.

La détrempe

La détrempe avec des solutions de peinture à l'eau sera utilisée pour obtenir des finitions nuagées et de subtiles illusions marines. Cette technique fait ressortir les aspérités des surfaces rugueuses, mais peut aider à créer un aspect déstructuré.

OUTILS : tissu absorbant, éponge végétale

PRODUITS : housse de protection, solution de peinture à l'eau, assiette

BASE : sur les murs émulsion à l'eau
sur les surfaces en bois peinture satinée

TECHNIQUES D'APPLICATION D'UNE DÉTREMPE

Sur les murs, vous avez le choix entre trois techniques, faire des mouvements circulaires, en dessinant des cercles ou des huits, faire des mouvements aléatoires amples, ou balayer la surface avec des petits mouvements horizontaux ou verticaux.

Le bois brut absorbe uniformément la peinture. Si le bois a été peint et décapé, il est souvent difficile d'obtenir une finition consistante ; assurez-vous du résultat en faisant un essai. S'il s'agit d'un meuble, vernissez-le ou cirez-le pour le protéger.

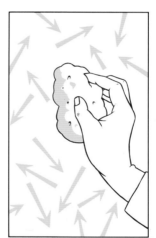
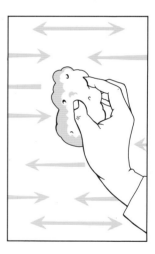

Formes circulaires

Dessins aléatoires

Bandes horizontales ou verticales

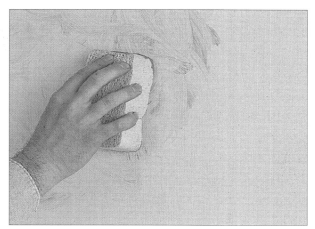

1 Versez 15 ml de peinture dans l'assiette posée sur une surface de travail protégée (voir p. 40-41) et trempez-y l'éponge. Entraînez-vous, car selon la façon dont on applique la peinture, la couleur et le dessin peuvent subir des variations importantes. Faites différents essais et choisissez la technique qui vous permettra d'obtenir la couleur et l'effet que vous préférez.

2 Lorsque vous avez mis au point la couleur et la technique d'application, commencez à peindre le mur qui a été bien préparé et recouvert d'une émulsion à l'eau. Travaillez rapidement et remouillez l'éponge à peu près tous les mètres carrés. Utilisez un petit pinceau pour atteindre les angles. Des couleurs supplémentaires peuvent être ajoutées, mais attendez au moins 1 heure entre chaque couche.

EFFETS DE LA DÉTREMPE SUR LE BOIS ET LE PLÂTRE

◀ Une couleur
Sur un fond clair ou moyen, un ton plus soutenu a été appliqué. Les nuances orangées ont un rendu chaleureux et raffiné.

▶ Deux couleurs
Des couleurs contrastées peuvent être appliquées l'une sur l'autre.

◀ Sur le bois brut
La couleur de la détrempe pénètre dans les pores et donne au bois une patine très agréable.

POUR UN MEILLEUR RENDU
Travaillez rapidement, afin que la peinture soit encore humide au niveau des raccords. Il faut peindre le mur entier en une fois.

Protéger votre travail

Certaines finitions sont plus belles lorsqu'elles ont un aspect vieilli, elles peuvent donc être exposées à la lumière et aux aléas du temps, sans avoir besoin d'une protection particulière pour conserver un aspect agréable. Les peintures à l'eau sont faciles à nettoyer (un coup de chiffon), mais certains emplacements comme les murs de cuisine et de salle de bains, ainsi que les meubles et les boiseries doivent bénéficier d'une protection. Pour éviter de faire ressortir les imperfections, n'utilisez pas de vernis brillant, elles se remarqueront moins sur une surface mate et satinée. Quelques effets peuvent être mis en valeur par un vernis brillant, tel est le cas des couleurs sombres appliquées à la détrempe.

OUTILS : pinceau, laine d'acier, papier de verre à grain fin

PRODUITS : vernis ou produit de substitution

▲ **FINITIONS MATES, SATINÉES ET BRILLANTES**
Une finition mate ne change pas la couleur. Si vous appliquez une finition satinée ou brillante vous donnerez de la vigueur et de l'éclat à la couleur.

◀ **VERNIS À L'HUILE**
Ils sont mats, satinés ou brillants et peuvent contenir du polyuréthanne qui rend les surfaces traitées plus solides et résistantes à la chaleur. Les vernis à l'huile ont tous dans leur composition de l'huile de lin qui jaunit légèrement avec le temps et peut altérer les tons de bleu et de rouge. Pour une protection plus efficace, passez plusieurs couches, et poncez légèrement entre chaque couche.

VERNIS EN AÉROSOL

À base d'huile ou d'eau, ils conviennent pour protéger de petites surfaces ou des éléments fragiles. Appliquez plusieurs couches fines plutôt qu'une seule couche épaisse. Suivez les instructions du fabricant. Entre chaque couche, passez de la laine d'acier.

MÉMENTO

Lisez attentivement les instructions du fabricant et prenez garde aux risques notifiés, en particulier si l'aérosol contient des solvants. Travaillez dans une pièce aérée, portez des gants et des vêtements de protection et évitez tout contact avec la peau.

VERNIS ACRYLIQUES

Ils constituent la meilleure protection après application d'une peinture à l'eau, ils peuvent être utilisés sur les meubles et objets divers. Ils existent en mat, satiné et brillant, et peuvent être appliqués à la brosse ou à l'aérosol (pour les petits objets). Les vernis acryliques ont l'aspect du lait et s'éclaircissent en séchant. Pour une bonne protection, passez deux à trois couches, poncez légèrement entre chaque couche.

GLACIS DE PROTECTION

Ce sont des vernis à l'eau, qui ont des propriétés similaires à celles des vernis acryliques. Ils peuvent être appliqués à la brosse ou à l'aérosol ; ils sont invisibles une fois secs. Mais ils ne sont pas aussi solides que les autres vernis. Vérifiez toujours qu'il y a compatibilité entre la peinture sous-jacente et le vernis.

LES RISQUES

Avant de protéger une surface, faites un essai pour vérifier l'action du vernis qui peut modifier l'aspect définitif.

Finitions plus élaborées

La grande diversité des glacis disponibles dans le commerce permet la création d'effets stupéfiants. Séchant lentement, ils permettent la réalisation de finitions très travaillées ; vous pourrez en utiliser plusieurs ensemble ce qui produira des effets d'une intensité et d'une qualité étonnantes.

Qu'ils soient acryliques ou à l'huile, les glacis ne constituent pas une protection suffisante lorsqu'ils sont utilisés sur des surfaces comme des portes, des parquets ou des meubles. Il faut alors appliquer en plus une couche de vernis ou de fixatif. Le produit choisi doit impérativement être compatible avec le ou les glacis qu'il recouvre, sinon vous risquez de détériorer la finition que vous avez réalisée. Utilisez, si possible, le vernis ou le fixatif recommandé par le fabricant du glacis (voir p. 22-23 et 50-51).

Dans ce chapitre

Préparer des glacis

Les glacis acryliques sont à base d'eau, ils ne sont pas toxiques, ne jaunissent pas et sont résistants. Ils peuvent être appliqués sur des émulsions vinyliques satinées, des peintures mates ou des surfaces mélaminées.

Les glacis à l'huile donnent de bons résultats, mais ils jaunissent avec le temps, ou s'ils sont exposés à de hautes températures ou à la lumière.

Glacis acrylique
OUTILS: petit pinceau ou cuillère

PRODUITS: housse de protection, peinture pour pochoir, peinture acrylique en tube ou colorant universel, bocal en verre avec couvercle qui se visse, glacis acrylique, tissu absorbant

Glacis à l'huile
OUTILS: petit pinceau

PRODUITS: housse de protection, peinture à l'huile en tube, peinture mate ou colorant universel, glacis à l'huile transparent, bocal en verre avec couvercle qui se visse, white-spirit ou térébenthine, tissu absorbant

LES PROPORTIONS DE COULEUR ET DE GLACIS

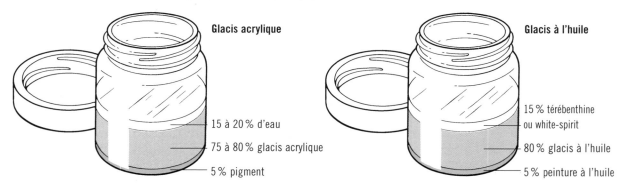

Glacis acrylique
- 15 à 20 % d'eau
- 75 à 80 % glacis acrylique
- 5 % pigment

Glacis à l'huile
- 15 % térébenthine ou white-spirit
- 80 % glacis à l'huile
- 5 % peinture à l'huile

UTILISER LES GLACIS

	PEINTURE ACRYLIQUE	PEINTURE À L'HUILE
TEMPS DE TRAVAIL DISPONIBLE	30 minutes	90 minutes
TEMPS DE SÉCHAGE	2 à 4 heures	8 à 16 heures
POUVOIR COUVRANT	20 à 40 m² par litre	20 à 40 m² par litre
SURFACES POSSIBLES	Émulsion vinyle satinée Peinture à l'huile mate Mélamine Surfaces vernies	Peinture à l'huile mate Mélamine Surfaces vernies
COLORANTS APPROPRIÉS	Peinture pour pochoir et acrylique Colorant universel	Peinture à l'huile, peinture mate Colorant universel
COMMENTAIRES	À l'eau, translucide au séchage	Facile à utiliser, jaunit avec le temps

GLACIS ACRYLIQUE

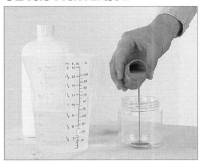  

1 Protégez la surface de travail et versez 15 ml de peinture pour pochoir dans le bocal. (Pour la peinture acrylique en tube, ajoutez un peu d'eau au 15 ml en mélangeant avec un petit pinceau ou une cuillère.) Ajoutez l'eau et le glacis en respectant les proportions indiquées page 54.

2 Pour une couleur douce, mettez 1 part de peinture ou de colorant pour 20 parts de glacis ; pour une couleur vive, utilisez environ 1 part de peinture ou de colorant pour 10 parts de glacis. Refermez le bocal, enveloppez-le dans un chiffon, et agitez énergiquement.

3 Regardez le fond du bocal pour vérifier que la peinture est bien mélangée. S'il y a un dépôt, agitez encore. Vérifiez l'intensité et la consistance du mélange en faisant un essai. Laissez-le sécher. Si la couleur est trop forte ou trop claire, rectifiez et faites un nouvel essai.

GLACIS À L'HUILE

  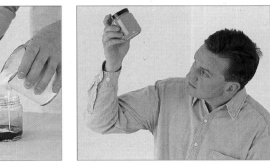

1 Après avoir protégé la surface de travail, versez environ 5 cm de peinture à l'huile en tube dans le bocal. Utilisez une couleur plus foncée que celle souhaitée pour le résultat final. Si vous utilisez une peinture mate ou un colorant universel, versez environ 30 ml.

2 Ajoutez 30 ml ou 1 cm de white-spirit ou de térébenthine. Mélangez peinture et solvant avec un petit pinceau. Ajoutez 150 ml ou 5 cm de glacis. Ne mettez pas plus de 20 % de solvant pour que le glacis ne soit pas trop liquide. Fermez le bocal et agitez-le jusqu'à obtention d'un résultat crémeux.

3 Vérifiez, en regardant le fond du bocal, qu'il n'y a pas de grumeaux. Si les produits ne sont pas parfaitement mélangés, agitez à nouveau. Car, si le mélange n'est pas homogène, la couleur du glacis risque d'évoluer en cours d'application.

Le lissage

Le lissage peut être utilisé pour peindre des surfaces étendues comme des murs ou pour réaliser un effet particulier sur une porte, des plinthes ou des boiseries. Lorsque la première couleur est sèche, d'autres peuvent être appliquées en complément. Avec une brosse à soies mixtes, vous obtiendrez un aspect proche de celui obtenu avec un peigne.

OUTILS : brosse de décorateur standard (25 mm), brosse à lisser (voir p. 57)

PRODUITS : housse de protection, récipient, solution de peinture (voir p. 54-55), serviette éponge ou tissu absorbant

BASE : toute peinture mate claire (voir aussi p. 36-37)

1 Il est important de bien préparer la surface à peindre (voir p. 32-37), la technique du lissage ayant tendance à faire ressortir les irrégularités du fond. Placez une housse pour protéger la zone de travail, et transvasez le glacis dans un récipient plus grand.

2 Appliquez le glacis uniformément avec un pinceau standard.

3 Étirez la peinture avec la brosse à lisser en partant d'un angle et en traçant des rayures verticales. Tenez la brosse pour qu'elle forme un angle d'environ 30° avec le mur. Donnez des coups de brosse aussi longs que possible pour limiter le nombre de raccords.

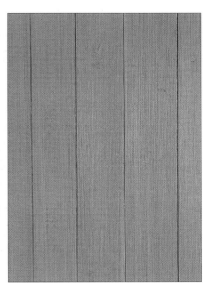

4 Selon que vous appuyez plus ou moins sur la brosse, les lignes verticales sont plus ou moins marquées. De temps en temps, éliminez le surplus de peinture en essuyant la brosse sur la serviette.

5 La brosse laisse une marque lorsqu'on l'applique sur le mur, mais elle n'en laisse pas en fin de course. Pour mieux dissimuler les raccords, commencez le lissage dans un angle, qui seul gardera la trace de la brosse, et éloignez-vous-en en faisant des bandes verticales.

6 Cette technique donne à la surface un aspect matiéré, et met en valeur les autres finitions sans les écraser.

PRÉPARER L'ÉQUIPEMENT

Pour obtenir un meilleur résultat, il faut bien humidifier la brosse à lisser avec du glacis avant de commencer, parce qu'on n'obtient pas le même résultat avec une brosse humide et une brosse sèche. Si vous n'avez pas de brosse à lisser, utilisez une brosse standard à longs poils ou une brosse de tapissier.

Sur les surfaces étendues, vous pouvez appliquer le glacis avec un rouleau à poils ras.

LE LISSAGE DES ANGLES

La technique du lissage s'applique particulièrement bien à l'encadrement d'une porte.

Tracez d'abord les horizontales au-dessus de la porte puis lissez les verticales en commençant par le haut, pour créer un angle bien marqué, et en allant de la porte vers le mur.

Glacis au chiffon

La peinture au chiffon avec un glacis produit une finition intense et de qualité qu'il serait difficile d'obtenir avec un autre produit. Cette variante de la technique traditionnelle, qui utilise des chiffons secs, peut être comparée avec celle décrite précédemment (voir p. 46-47) pour la peinture à l'eau. Ces deux techniques peuvent d'ailleurs être associées.

OUTILS : brosse de décorateur standard (25 mm), tissu carré de 30 cm de côté, polyester et coton mélangés (ou pur coton) propre

PRODUITS : housse de protection, récipient en plastique, glacis une couleur (voir p. 54 -55), gants en caoutchouc fins, serviette éponge ou tissu absorbant

BASE : surface unie recouverte d'une peinture satinée (voir p. 36-37)

1 Protégez la surface de travail avec une housse. Transvasez le glacis que vous avez préparé (voir p. 54 -55) dans un récipient en plastique, et trempez-y le chiffon.

2 Appliquez le glacis de façon uniforme avec la brosse de décorateur. Puis lissez la surface en passant la brosse toujours dans le même sens.

3 Mettez des gants en caoutchouc, retirez le chiffon du récipient et essorez-le. Égouttez bien le chiffon qui va absorber la peinture qui est sur les gants.

4 Donnez au chiffon la forme d'un boudin d'environ 10 cm de long. Évitez les plis, ils produisent un effet inesthétique.

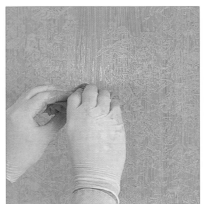

5 Appliquez à deux mains le chiffon sur la surface, en remontant en ligne droite. Lorsque vous avez terminé la première bande, faites légèrement chevaucher la suivante pour une meilleure finition.

6 Divisez le mur horizontalement en plusieurs parties, placez le sommet de la première bande le plus haut possible. Les raccords seront d'autant plus discrets s'ils ne sont pas tous à la même hauteur.

7 À mesure que le chiffon s'imprègne de peinture, le motif évolue. Pour garder un aspect uniforme, épongez-le avec du tissu absorbant Dans les angles et les zones peu accessibles tamponnez (voir p. 44 -45).

8 Le résultat convient à des supports très divers : panneaux de porte, murs ou même sols.

AUTRES EFFETS

Moucheter
Moucheter le glacis (à gauche), puis passer un chiffon verticalement : aspect matiéré (à droite).

Brosser
Brosser grossièrement (à gauche), puis passer un chiffon de bas en haut : aspect froissé (à droite).

TRAVAILLER À DEUX

Pour les grandes superficies, il est préférable de travailler à deux, l'un applique le glacis, l'autre tamponne avec le chiffon. Vous pouvez aussi, pour couvrir rapidement une surface étendue, utiliser un rouleau à poils ras.

Lorsque vous faites des essais, vérifiez l'effet produit par différents chiffons, vous pourrez ainsi améliorer votre finition. Les tissus neufs doivent toujours être lavés, changez le chiffon s'il devient pelucheux.

Glacis moucheté 1 couleur

Moucheter un glacis permet d'estomper une couleur, sans traces apparentes d'application et sans texture. Le rendu est naturel et raffiné. Utilisez des couleurs de base douces – blanc, crème ou pastel –, sous des glacis de couleur plus intense. Un glacis moucheté peut être utilisé avec d'autres finitions, pour atténuer une texture ou d'inesthétiques traces de pinceau.

OUTILS : brosses de décorateurs standards (25-75 mm) ou rouleau à poils ras (grandes superficies), 2 brosses à moucheter de taille différente

PRODUITS : housse de protection, glacis (voir p. 54-55), serviette éponge ou tissu absorbant

BASE : surface unie recouverte d'une peinture satinée (voir p. 36-37)

1 Appliquez le glacis de façon uniforme, avec la brosse de décorateur, sur la surface que vous allez moucheter. Vous pouvez éventuellement appliquer le glacis au rouleau.

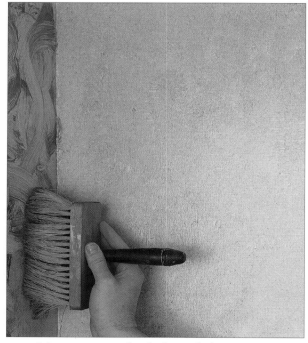

2 Mettez un peu de glacis sur la brosse à moucheter pour l'humecter, puis tamponnez régulièrement et fermement, de haut en bas, la brosse formant un angle de 90° avec la surface.

3 Maintenez la densité de la couleur en enlevant régulièrement l'excès de glacis de la brosse. Essuyez-la avec du tissu absorbant.

4 Continuez à moucheter en contrôlant régulièrement l'intensité de la couleur. Corrigez immédiatement les erreurs en repassant dessus.

5 Dans les angles, près des plinthes et des boiseries, utilisez une brosse à moucheter de petite taille.

6 Le résultat est un mélange fondu entre la couleur de la base et celle du glacis, sans traces de brosse visibles, ce qui donne un aspect ombré.

Glacis moucheté 2 couleurs

L'utilisation de cette technique avec plusieurs couleurs va vous permettre de créer des jeux d'ombres et de lumières qui modifieront l'aspect et jusqu'à la luminosité d'une pièce (voir p. 63). Vous pouvez utiliser la seconde couleur uniquement dans certaines zones limitées où la couleur de la base et celles des glacis se mêleront délicatement.

OUTILS : brosse de décorateur standard (25 mm), 2 brosses à moucheter de taille différente

PRODUITS : housse de protection, glacis en 2 couleurs ou plus (voir p. 54-55), serviette éponge ou tissu absorbant

BASE : surface unie recouverte d'une peinture satinée (voir p. 36-37)

1 Avec une brosse de décorateur, appliquez uniformément la première couleur de glacis sur la zone qui lui est réservée.

2 Appliquez ensuite la seconde couleur de glacis, avec une autre brosse, sur la zone qui lui est réservée.

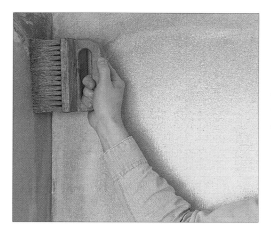

3 Imprégnez la brosse à moucheter avec le premier glacis, et tamponnez en gardant bien la brosse à angle droit (voir p. 60, étape 2).

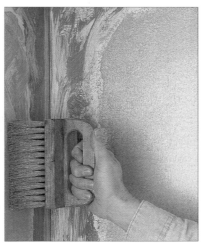

4 Lorsque vous avez moucheté la première couleur, essuyez la brosse avec la serviette ou changez de brosse. Recommencez l'opération sur la seconde couleur. Le débordement d'une teinte sur l'autre est inévitable et même souhaité.

5 Tamponnez la seconde couleur jusqu'à ce que vous soyez satisfait de l'effet obtenu. Corrigez les erreurs immédiatement en repassant dessus.

6 Au point de rencontre des deux couleurs, continuez à tamponner pour les mélanger à votre goût. Pour que l'intensité des couleurs et l'effet obtenu soient réguliers, essuyez régulièrement la brosse.

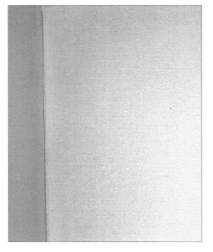

PENSEZ PETIT
Pour une surface restreinte, utilisez une brosse à pochoir.

JOUEZ AVEC LES COULEURS
Une seconde couleur utilisée pour les angles et les bords, adoucit les angles et donne une patine.

Le plafond paraît plus haut si vous mouchetez 3 tons d'une même couleur en les dégradant horizontalement, du plus sombre au plus clair, et de bas en haut.

7 Pour que le résultat soit satisfaisant dans les angles, utilisez une brosse à moucheter de petite taille. Vous serez sans doute amené à l'essuyer fréquemment.

8 Le mariage de deux couleurs mouchetées crée un effet de lumière naturel qui peut être appliqué à presque toutes les surfaces, quelle que soit leur taille.

Peinture avec plastique 1

L'utilisation d'un simple sac en plastique pour obtenir un effet de peinture confirme qu'il n'est pas nécessaire de faire l'acquisition de matériel sophistiqué pour réaliser des finitions picturales. Certains objets à usage domestique, simplement froissés ou mis en boule, permettent de créer des formes ou des volutes de couleur et d'obtenir des résultats inattendus.

OUTILS : brosse de décorateur standard (25 mm), sac en plastique

PRODUITS : housse de protection, glacis 1 couleur (voir p. 54-55), serviette éponge ou tissu absorbant

BASE : surface unie recouverte d'une peinture satinée (voir p. 36-37)

1 Appliquez le glacis uniformément sur toute la surface avec la brosse de décorateur.

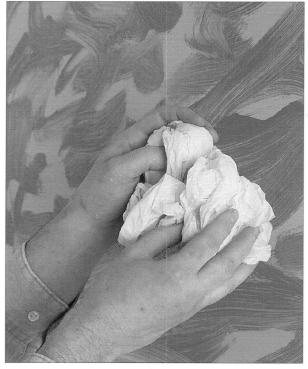

2 Retournez le sac et froissez-le pour obtenir une forme facile à tenir dans la main.

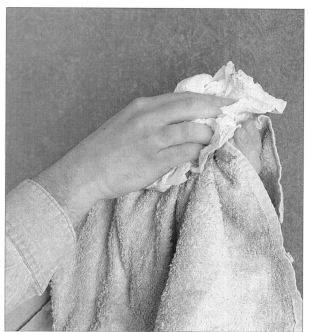

3 Tamponnez doucement la surface avec le sac et remodelez-le régulièrement pour varier la forme des motifs. Travaillez rapidement en veillant à ne pas obtenir un rendu uniforme.

4 De temps en temps, essuyez le sac en plastique sur la serviette. Si vous souhaitez diminuer l'intensité de la couleur et obtenir une texture fine, essuyez-le plus souvent.

5 Le résultat final rappelle la surface d'une pierre exotique polie. Il faut toujours travailler sur un glacis humide. Cette technique est très rapide, ce qui permet à une seule personne de couvrir une surface étendue.

DE L'ART DE CHOISIR UN SAC
Selon le plastique choisi, le résultat obtenu sera plus au moins texturé. L'encre des images ou des textes imprimés sur les sacs peuvent se mélanger avec la couleur du glacis et altérez votre travail : retournez toujours le sac avant de commencer.

Peinture avec plastique 2

En les tamponnant avec un sac en plastique, vous mélangerez facilement deux couleurs et vous créerez des textures étonnantes. Vous pouvez ne pas vous limiter à ce premier effet, et utiliser la texture obtenue comme fond pour créer un effet marbré (voir p. 86-87).

OUTILS : 2 brosses de décorateur standards (25 mm), sacs en plastique

PRODUITS : housse de protection, 2 glacis (voir p. 54-55), tissu absorbant ou serviette éponge

BASE : surface unie recouverte d'une peinture satinée (voir p. 36-37), qu'il s'agisse de murs, meubles, panneaux de porte ou plateaux de table

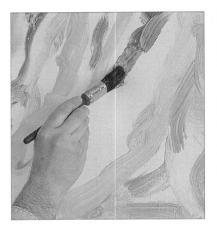

2 Froissez un sac plastique après l'avoir retourné, et modelez-le à votre main. Le résultat que vous obtiendrez dépend de la taille du sac, de son épaisseur et, de la façon dont vous le tenez.

1 Appliquez les deux glacis en utilisant une brosse pour chaque couleur. Étalez les couleurs côte à côte, sans qu'elles se chevauchent. Pour créer, comme ici, un effet marbré, appliquez le glacis sur une base ivoire. Pour la couleur principale du glacis choisissez un jaune moyen ; la seconde couleur, dont vous n'appliquerez que quelques touches, le brun, imitera les fissures de la pierre.

3 Travaillez la surface en tamponnant d'abord la première couleur (voir étape 3 page 65). Continuez jusqu'à ce que vous obteniez la texture souhaitée.

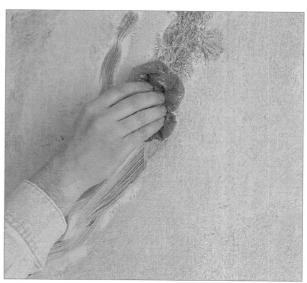

4 Si vous voulez vous servir du même sac pour tamponner la seconde couleur, essuyez-le sur la serviette. Utilisez de préférence un autre sac.

5 Tamponnez la seconde couleur (voir étape 3 page ci-contre). Le débordement d'une couleur sur l'autre est inévitable et même souhaitable.

MARBRE FANTAISIE
Utilisez cette technique pour créer du faux marbre sur les murs d'un hall d'entrée ou dans une salle à manger.

6 Pour estomper les deux couleurs, passez de l'une à l'autre en les tamponnant, jusqu'à ce que vous soyez satisfait du résultat. Pour modifier couleur ou texture, essuyez plus ou moins souvent le sac avec la serviette.

7 Cette finition est non seulement facile, mais surtout rapide à réaliser. Elle produit un effet original, que l'on peut croire difficile à obtenir. Une preuve supplémentaire que les apparences sont trompeuses.

La détrempe

En appliquant un glacis à la brosse ou à l'éponge, on peut obtenir une couleur transparente qui laisse voir la couleur du fond. L'effet obtenu diffère selon l'outil utilisé. Une brosse ou un pinceau donne une finition plus grossière, on voit les coups de pinceau et le fond est plus visible à certains endroits qu'à d'autres. Une éponge crée une texture plus uniforme. Faites plusieurs essais et choisissez en fonction du résultat souhaité.

À la brosse
OUTILS : brosse de décorateur standard (25 mm) ou rouleau à poils ras, brosse à lisser ou brosse à badigeon

PRODUITS : housse de protection, glacis 1 couleur (voir p. 54-55), serviette ou tissu absorbant

À l'éponge
OUTILS : éponge végétale

PRODUITS : housse de protection, glacis 1 couleur (voir p. 54-55), serviette ou tissu absorbant

BASE : surface unie recouverte d'une peinture satinée (voir p. 36-37)

À LA BROSSE

1 Appliquez la peinture uniformément avec une brosse de décorateur standard. La peinture devant être humide au niveau des raccords, il est préférable, pour les surfaces étendues, de travailler à deux. Si vous êtes seul, pour aller plus vite, utilisez un rouleau à poils ras.

2 Utilisez une brosse à lisser légèrement imprégnée de glacis pour étaler la couleur par touches rapides et aléatoires. Pour les grandes superficie, vous pouvez utiliser une brosse à badigeon. Pour estomper la couleur, essuyez régulièrement la brosse sur une serviette.

3 Vous obtiendrez ainsi un effet de volume et de lumière que vous pourrez utilisez sur un mur, un sol, un meuble et même sur la porcelaine. Lorsque la première couche de glacis sera complètement sèche, vous pourrez éventuellement ajouter d'autres couleurs.

À L'ÉPONGE

1 Protégez votre surface de travail, et rassemblez tout votre matériel. Versez un peu de peinture sur une assiette, et imprégnez bien l'éponge. Pressez-la dans l'assiette et assurez-vous qu'elle est uniformément imbibée de glacis.

2 Appliquez la peinture sur la surface en faisant des mouvements circulaires irréguliers avec l'éponge. Humidifiez l'éponge chaque fois que c'est nécessaire.

3 Le résultat est en général original et très personnel. Il peut être enrichi par l'ajout ultérieur d'une ou plusieurs couleurs, lorsque la première couche sera sèche.

VARIATIONS SUR DEUX COULEURS

Tourbillon

Pour cet effet raffiné, appliquez deux couleurs de même tonalité avec des mouvements circulaires. N'appliquez pas la seconde couleur avant que la première soit sèche.

Tourmentée

Pour cet effet texturé, appliquez les couleurs en balayant la surface avec des coups de brosse grossiers. N'appliquez pas la seconde couleur avant que la première soit sèche.

EFFETS MATIÉRÉS

Des coups de brosse aléatoires et irréguliers peuvent donner le résultat ci-contre sur une surface, mais vous pouvez également obtenir une effet en damier, écossais ou en faisceaux.

EFFETS NUAGÉS

Pour obtenir un effet nuagé, balayez la surface avec l'éponge avec des mouvements circulaires.

Couleur essuyée

Cette technique met en valeur les motifs d'une surface présentant des reliefs. Un glacis de couleur sombre est appliqué sur une base de couleur claire. Puis, les parties en relief sont essuyées laissant apparaître la couleur de base, alors que la teinte foncée reste dans les creux. Faites toujours un essai sur une petite zone, et sachez qu'en essuyant la peinture vous risquez de faire ressortir les joints d'un papier peint matiéré.

Papier peint matiéré
OUTILS : brosse de décorateur standard (25 mm) ou rouleau à poils ras, raclette en caoutchouc

PRODUITS : housse de protection, glacis 1 couleur (voir p. 54-55), serviette éponge

Plâtre et moulures
OUTILS : 2 brosses de décorateur (25 mm), raclette en caoutchouc

PRODUITS : housse de protection, glacis 2 couleurs (voir p. 54-55), tissu absorbant

BASE : peinture satinée (voir p. 36-37)

PAPIER PEINT MATIÉRÉ

1 Utilisez des glacis plus foncés que la couleur de base (voir p. 36-37).

2 Appliquez le glacis de façon uniforme sur le papier peint avec une brosse standard ou un rouleau à poils ras.

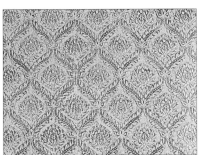

3 Essuyez doucement la surface avec la raclette, en travaillant dans toutes les directions pour une finition unie.

4 Enlevez régulièrement les surplus de glacis de la raclette avec la serviette. Essuyez bien toute la surface.

5 Le glacis est resté dans les creux, mais il est estompé sur les parties en relief. Les motifs du papier peint sont mis en valeur.

PLÂTRE ET MOULURES

1 Appliquez uniformément deux glacis de couleur différente sur la surface. Le bleu et le marron conviennent particulièrement bien pour donner une patine.

2 Faites des mouvements de va-et-vient avec la brosse comme pour obtenir un effet moucheté (voir p. 62-63) jusqu'à ce que les couleurs se mélangent partiellement.

3 Formez un tampon avec le tissu absorbant, et essuyez soigneusement la surface. Tournez et retournez le tissu pour qu'il offre une surface toujours propre et absorbante.

4 Le résultat a un aspect patiné et vieilli, les couleurs sont agréablement mêlées. Une couleur supplémentaire ou une finition craquelée (voir p. 80-81) peuvent être ajoutées, lorsque la base est complètement sèche.

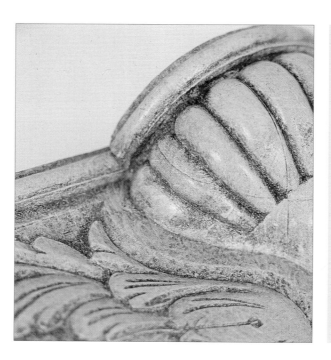

VARIATIONS

Pour les grandes moulures peu creusées, utilisez un rouleau pour appliquer le glacis (voir étape 1).

Pour obtenir une patine chiffonnée, tamponnez la surface avec un chiffon déchiré, après l'étape 3. Pour obtenir des effets différents, essayez plusieurs tissus.

Effet peigné

La première utilisation des peignes avait pour but d'imiter l'aspect du bois. Mais on peut les utiliser, au gré de son imagination, pour réaliser de très nombreux effets : d'un simple treillis ou cannage jusqu'à des motifs ondoyants produisant un effet de volume, en passant par des écossais fantaisie.

OUTILS : brosse de décorateur standard (25 mm) ou rouleau à poils ras, brosse à moucheter, peigne

PRODUITS : housse de protection, glacis 1 couleur (voir p. 54-55), serviette éponge ou tissu absorbant

BASE : surface unie recouverte d'une peinture satinée (voir p. 36-37)

1 Appliquez le glacis à la brosse uniformément. Pour l'appliquer rapidement sur une surface étendue, utilisez un rouleau à poils ras ou travaillez à deux.

2 Mouchetez la surface (voir p. 60-61) pour éliminer les traces de brosse et étaler la couleur uniformément. Essuyez la brosse sur une serviette pour enlever l'excès de glacis.

3 Faites un angle de 30° avec le peigne et faites des rayures horizontales sur le glacis. Suivant l'angle d'inclinaison du peigne et la pression exercée, différentes finitions seront réalisées.

4 Nettoyez régulièrement le peigne avec la serviette pour éliminer l'excès de peinture. Si vous n'obtenez par le résultat espéré, recommencez les étapes 2 à 4.

MOTIFS

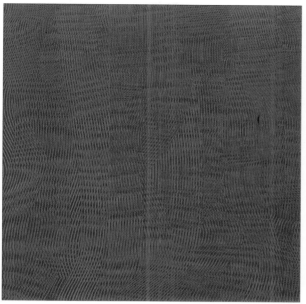

Moirage

Une imbrication de lignes droites et de lignes obliques crée un effet moiré.

Cannage

Cet entrelacs évoquant un tissu ou un cannage sera très bien dans panneau entouré par un glacis lissé.

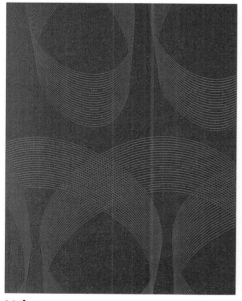

PERSONNALISEZ VOS EFFETS
Supprimez quelques dents à un peigne ou utilisez des peignes de fortune, un grattoir à vitre, par exemple.

Volutes

Créez un motif à main levé, le peigne devenant un instument de calligraphie.

Clé de sol

Ce thème montrera-t-il la voie à un musicien en herbe ?

Patines et illusions

Avec le temps, le vernis des meubles se craquèle, les couleurs fanent, le bois s'use. C'est cette patine due au temps que les antiquaires cherchent à imiter. Pour vieillir une surface, différentes techniques sont utilisées, en jouant par exemple sur l'incompatibilité entre certains produits. Observez attentivement les surfaces qui ont subi les outrages du temps pour reproduire leur état – les angles, les bords et les parties autour des poignées sont les plus abîmés.

Les effets de peinture peuvent aussi servir à imiter des matériaux tels que le marbre ou le bois. Ces illusions d'optique ne seront que mieux intégrées si la matière copiée est présente à proximité. Inspirez-vous d'un échantillon du matériau que vous cherchez à imiter ou, à défaut, d'une photographie.

Faire une patine

En rayant ou essuyant une peinture, vous pouvez créer une patine ancienne ou rustique sur des meubles ou des lambris. Pour enlever partiellement la couche supérieure de peinture, rayez la surface avec un trousseau de clés ou tout autre objet métallique. Cette technique s'utilise aussi bien avec la peinture à l'eau qu'avec la peinture à l'huile.

OUTILS : série de brosses de décorateur standards, trousseau de clés, laine d'acier, papier de verre à grain fin

PRODUITS : émulsion en 2 couleurs contrastées, vaseline

BASE : bois naturel (voir p. 36-37), utilisez cette technique pour décorer meubles, lambris, plinthes, portes et autres surfaces en bois

1 Appliquez la peinture de base avec une brosse de décorateur, c'est cette couleur qui apparaîtra là où la couche superficielle sera essuyée ou rayée. Lorsque cette première couche est sèche, étalez avec le doigt de la vaseline aux endroits où vous voulez que la seconde couche de peinture n'adhère pas. Insistez sur les angles et les bords.

2 Les meubles anciens portent les traces des nombreux chocs qu'ils ont subis au fil des ans. Si vous voulez imiter ce vieillissement naturel, rayez et heurtez un meuble neuf avec un trousseau de clés ou une chaîne.

3 Lorsque vous serez satisfait par l'aspect patiné de la surface, appliquez normalement la seconde couche de couleur, et laissez-la sécher.

4 Faites un petit tampon avec la laine d'acier, et frottez-le vigoureusement sur la surface. La deuxième couche de peinture n'a pas adhéré sur la vaseline, elle s'enlève facilement.

5 Si vous voulez adoucir des angles ou enlevez un peu plus de peinture, poncez délicatement avec du papier de verre à grain fin.

6 Sur les peintures à l'eau ou si la surface a été rayée, appliquez 2 à 3 couches de vernis, en ponçant entre chaque couche. La patine artificielle résistera ainsi à l'usure naturelle !

7 Ce résultat, qui marie deux couleurs, s'accordera à merveille avec des meubles anciens.

AJOUTER DES COULEURS

Plusieurs couleurs peuvent être appliquées et partiellement essuyées pour créer une patine.
Pour rehausser l'effet, lorsque la peinture est sèche, appliquez partiellement de la crème à dorer.

ASTUCES DE PROFESSIONNEL

Vous pouvez utiliser de la cire de bougie à la place de la vaseline. Faites fondre un peu de cire sur les zones où vous ne voulez pas que la peinture adhère. Les peintures à l'eau ou les émulsions donnent de belles couleurs en vieillissant. Choisissez des couleurs contrastées, qui tranchent l'une par rapport à l'autre. Celles-ci doivent également se marier agréablement avec le reste de l'ameublement.

Cire à patiner

Cet effet dépend de l'interaction de la cire à la térébenthine et de l'émulsion à l'eau, et aboutit à un aspect délavé. Cette finition est proche de la patine obtenue avec les techniques présentées pages 76-77 avec lesquelles les surfaces sont plus nettement définies. La cire, appliquée avec de la laine d'acier, estompe la peinture et enlève facilement des fragments de la couleur superficielle.

OUTILS : brosse de décorateur standard (25 mm), laine d'acier fine à moyenne

PRODUITS : housse de protection, émulsion mate en 2 couleurs contrastées, cire à la térébenthine, chiffon doux et propre

BASE : cette finition convient particulièrement aux objets petits ou comportant des reliefs : cadres et objets en bois tourné (porte-serviettes, rampe d'escalier), pour la préparation de la surface, voir p. 36-37

APPLIQUER LA CIRE

1 Protégez votre surface de travail avec une housse. Préparez les éléments à décorer (voir p. 34-35), et appliquez au pinceau une couche d'émulsion. Laissez sécher.

2 Lorsque la première couche est sèche, appliquez la seconde couleur et laissez-la sécher complètement.

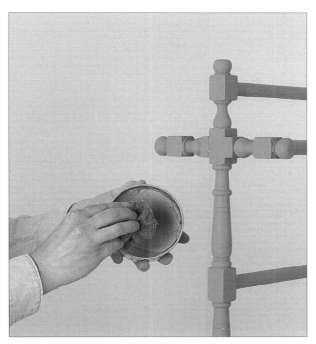

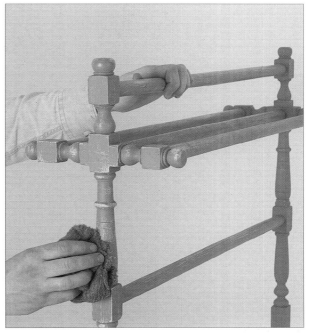

3 Faites un tampon avec la laine d'acier et imprégnez-le de cire. Passez-le énergiquement sur toute la surface peinte.

4 N'enlevez que partiellement la couche de peinture superficielle. Arrêtez-vous lorsque vous êtes satisfait du résultat; laissez durcir la cire.

5 Lorsque la cire a durci, polissez, en utilisant un chiffon doux. Cette finition simple à réaliser est très esthétique et durable.

CE QUI EST PETIT EST BEAU
Une petite quantité de peinture à l'huile en tube appliquée avec la laine d'acier et la cire (voir étape 3 et 4) rehaussera la finition.

Finitions craquelées acryliques

Le glacis et le vernis acryliques à craquelures produisent des fendillements sur une surface, donnant une patine ancienne à toutes sortes d'objets tels que boîtes ou étagères. Le glacis s'applique sur deux couches de peinture à l'eau : les craquelures de la couche superficielle faisant apparaître la couche de base. Le vernis crée un fin réseau de fissures sur une couche unique de peinture.

Pour le glacis
OUTILS : brosse de décorateur standard (25 mm), laine d'acier fine, papier de verre à grain fin

PRODUITS : housse de protection, émulsion mate ou peinture acrylique en 2 couleurs, glacis acrylique à craquelures, vernis acrylique mat

Pour le vernis
OUTILS : les mêmes que pour le glacis

PRODUITS : housse de protection, émulsion ou peinture acrylique, vernis et glacis acryliques à craquelures, chiffon doux, peinture à l'huile, white-spirit, vernis acrylique mat

BASE : peintures acryliques ou émulsion, surfaces bien préparées (voir p. 34-35)

GLACIS ACRYLIQUE À CRAQUELURES

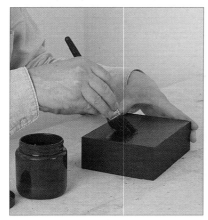

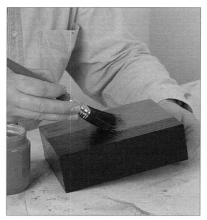

1 Après avoir protégé votre surface de travail avec une housse, peignez l'objet que vous souhaitez décorer avec une émulsion mate ou une peinture acrylique, de la couleur qui transparaîtra à travers les fissures.

2 Lorsque cette base est complètement sèche, appliquez une couche de glacis acrylique à craquelures, toujours dans le même sens. Pour obtenir l'épaisseur de glacis souhaitée, faites des essais (voir page ci-contre). Laissez sécher.

3 Appliquez la seconde couleur avec une brosse bien chargée de peinture et en donnant des coups francs, dans le même sens que le glacis. Les craquelures se forment immédiatement, ne passez pas deux fois au même endroit.

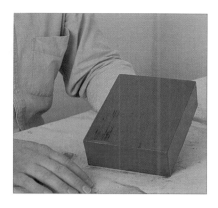

4 Laissez la surface sécher. Les craquelures vont apparaître et continuer à se former jusqu'à ce que la couche superficielle soit complètement sèche, révélant la couleur de base.

5 Lorsque l'objet est sec, poncez légèrement et passez une couche de vernis acrylique mat pour protéger la finition.

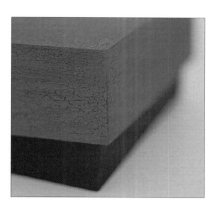

VERNIS ACRYLIQUE À CRAQUELURES

1 Appliquez une couche de d'émulsion ou de peinture acrylique de la couleur que vous avez choisie. Lorsqu'elle est sèche, appliquez un mélange égal de glacis et de vernis acryliques à craquelures.

2 Lorsque cette couche de scellement est sèche, appliquez une fine couche de vernis acrylique à craquelures, toujours dans le même sens. En séchant, cette couche se rétracte et forme des craquelures.

3 Pour rehausser l'effet, passez un peu de peinture à l'huile en tube sur la surface, en utilisant un chiffon doux. Enfin, passez un tissu imbibé de white-spirit pour enlever l'excédent de peinture.

4 Laissez sécher et vernissez pour protéger la finition.

BRILLANCE
Avec le glacis, les couleurs d'intensité proches produisent d'excellents résultats. Essayez de remplacer la peinture à l'huile par la crème à dorer.

QUELLE ÉPAISSEUR ?
L'épaisseur de la couche de glacis à craquelures déterminera le résultat final – plus la couche est épaisse, plus l'effet est marqué. Il est préférable de faire des essais afin d'obtenir le résultat souhaité.

Craquelures

Les craquelures réalisées avec le vernis à patiner et la gomme arabique sont plus fines que les finitions craquelées obtenues avec les vernis et glacis acryliques à craquelures (voir p. 80-81). Utilisez le vernis à patiner et la gomme arabique pour les finitions délicates telles que petits objets peints à la main ou au pochoir.

OUTILS : pinceau de 25 mm, séche-cheveux

PRODUITS : housse de protection, vernis acrylique ou à l'huile (étape 1), vernis à patiner, gomme arabique, peinture à l'huile, chiffon doux, white-spirit ou térébenthine, vernis à l'huile (étape 5)

BASE : tous objets susceptibles de recevoir une finition délicate, pour la préparation, reportez-vous à l'étape 1

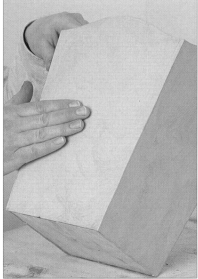

1 Protégez le plan de travail avec une housse. Pour fixer la peinture, appliquez une couche de vernis protecteur acrylique ou à l'huile. Laissez sécher complètement, avant de recouvrir d'une couche aussi régulière que possible de vernis à patiner.

2 L'humidité, la température et l'exposition plus ou moins grande à l'air influent sur le temps de séchage. Soyez patient, car plus le vernis à patiner est sec, plus les craquelures seront fines.

3 Dès que la surface est prête (voir étape 2), appliquez une couche uniforme de gomme arabique (ou vernis à craquelures). Si la gomme arabique a tendance à se dédoubler, ajoutez un peu de détergent. Puis laissez sécher.

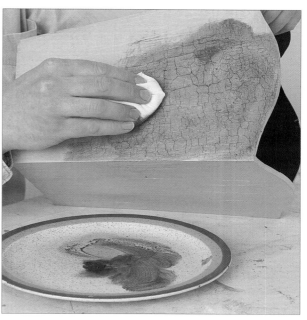

4 Utilisez un sèche-cheveux, réglage air tiède, pour accélérer le séchage du vernis. Plus la gomme arabique sèche rapidement, plus les craquelures seront importantes.

5 Lorsque la surface est complètement sèche, faites ressortir les craquelures en appliquant de la peinture à l'huile avec un chiffon doux. Éliminez l'excès de peinture avec un peu de térébenthine ou de white-spirit. Quand la peinture à l'huile est séche, protégez la finition avec un vernis à l'huile.

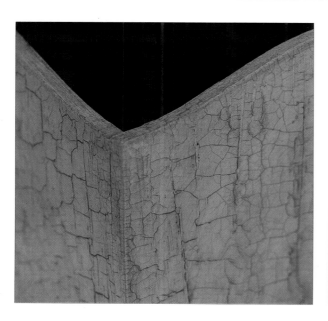

6 Le résultat est un réseau de craquelures qui semble tout à fait naturel. Vous pouvez utiliser cette technique aussi bien sur des objets unis que sur des objets décorés.

TRUCS ET ASTUCES
Ne mettez pas de peinture à l'eau sur la gomme arabique, elle risquerait de ramollir. Si vous voulez donner un reflet métallique aux craquelures, enduisez-les de crème à dorer.

Finitions cérusées

Le blanc de céruse est utilisé depuis le XVIe siècle pour éviter que le bois ne soit attaqué par les vers. La céruse (dont l'usage est aujourd'hui interdit) a été remplacée par de la cire à céruser non toxique et moins dangereuse, qui met en valeur les bois veinés.

OUTILS : brosse métallique, laine d'acier fine

PRODUITS : housse de protection, cire à céruser, cire incolore, chiffon doux ou brosse

BASE : bois brut ou décapé, le bois peint ou verni doit impérativement être décapé

2 Étalez un peu de cire à céruser avec la laine d'acier sur toute le surface du bois en frottant dans tous les sens.

1 Protégez le plan de travail. Frottez énergiquement le bois avec une brosse métallique, afin d'ouvrir les pores et d'obtenir une surface rugueuse.

3 Laissez sécher la surface imprégnée de cire à céruser (de préférence dans un endroit frais). Faites une pelote de laine d'acier et enduisez-la de cire incolore.

4 Appliquez la cire par mouvements circulaires sur la surface cérusée. Remodelez la laine d'acier et enduisez-la régulièrement de cire.

5 Lorsque vous avez obtenu le résultat escompté, laissez reposer 30 minutes, puis polissez la surface avec un chiffon ou une brosse.

6 La cire à céruser fait ressortir les veines du bois et donne une touche traditionnelle.

MÉMENTO

Avant d'utiliser un produit décapant, n'oubliez pas de bien lire la notice et de tenir compte des précautions d'emploi.

BLANC C'EST BLANC !

Une peinture à l'eau blanche (voir p. 48-49), appliquée sur du bois brut, essuyée avec de la laine d'acier et ultérieurement cirée, peut remplacer la cire à céruser.

Effets marbrés

Reproduire un marbre en trompe-l'œil est un art en soi, c'est aussi une finition facile et rapide à réaliser. Vous obtiendrez un résultat tout à fait réaliste en vous inspirant d'un fragment de marbre ou d'une photographie de ce matériau. Commencez par une petite surface : une étagère ou une table basse.

OUTILS : sacs en plastique, assiette, éponge naturelle, brosse à moucheter, plumes, pinceau fin, brosse souple

PRODUITS : glacis en 2 couleurs ou plus, white-spirit ou térébenthine, peinture à l'huile en tube

BASE : peinture satinée unie (voir p. 36-37), réservez cette finition pour les éléments qui pourraient être en marbre : plateaux de table, étagères et pieds de lampes

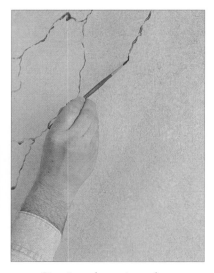

1 Tamponnez deux glacis ou plus en utilisant des sacs en plastique (voir p. 66- 67). Versez un peu de white-spirit ou de térébenthine dans une assiette. Imbibez-en une éponge naturelle, avec laquelle vous tamponnerez la surface, en douceur.

2 Au bout d'une minute, vous devez voir apparaître de petits dessins imitant des fissures. Si ce n'est pas le cas, c'est que le glacis est trop sec ; enlevez-le alors avec un chiffon imbibé de solvant, et recommencez. Avant d'appliquer de nouveaux glacis, essuyez le solvant avec un tissu doux absorbant.

3 Dessinez les veines du marbre avec de la peinture à l'huile légèrement diluée avec un peu de solvant ou avec du glacis. Appliquez la peinture avec le pinceau fin qui vous permet d'obtenir le meilleur résultat. Le but étant d'imiter le marbre, comparez fréquemment avec votre modèle.

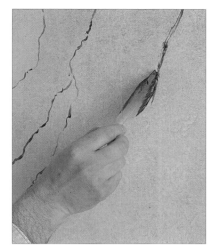

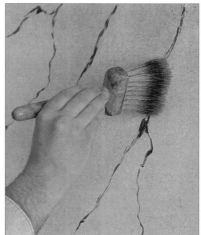

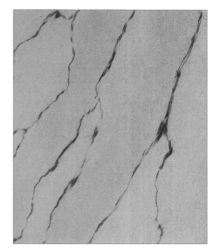

4 L'extrémité d'une plume crée un effet marbré très naturel, mais son utilisation demande une certaine dextérité. Les veines doivent toutes aller dans la même direction et continuer jusqu'au bord de la surface. Attention, ne dessinez pas trop de veines.

5 Utilisez une brosse souple pour estomper les marbrures. Imprimez à la brosse de légers mouvements pendulaires. Travaillez d'abord dans le sens des veines, puis à angle droit des marbrures. Les coups de brosse ne doivent pas être visibles.

6 Le résultat est un fond texturé où se mêlent plusieurs couleurs estompées, parcourues de marbrures. Lorsque la surface a complètement séché, l'adjonction de couches de glacis peut rehausser l'effet marbré.

AUTRE MÉTHODE

Si vous ne voulez pas estomper le fond comme l'étape 5 l'indique, laissez sécher les glacis, vous dessinerez les veines du marbre plus tard.

Pour estomper les glacis, vous pouvez utiliser une brosse à dépoussiérer ou une brosse à lisser.

L'application de plusieurs couches de glacis et le dessin de veines reproduisent des nuances et une texture très proches du véritable marbre.

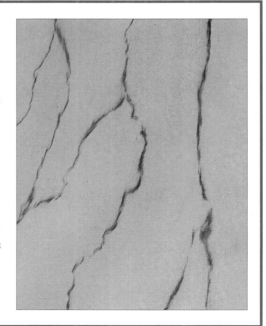

PROJECTIONS

On peut asperger de white-spirit le glacis encore humide avec une brosse à poils ras : une brosse à pochoir, par exemple. Tapotez le manche de la brosse sur une règle ou sur le bord de votre main pour projeter de minuscules gouttes de white-spirit sur la surface.

Marbres et dallages

La plupart des pierres, et le marbre ne fait pas exception, sont taillées et utilisées en blocs. Si vous désirez créer un effet marbré réaliste sur une surface étendue, fragmentez le marbre en dalles avant de le peindre. Vous pouvez juxtaposer des dalles de forme simple ou imbriquer des formes et même réaliser une véritable mosaïque.

Faites un plan à l'échelle, prévoyez la position des dalles, et reportez le schéma sur la surface à décorer.

Vous obtiendrez un bel effet avec des formes proches de la réalité qui, de plus, seront assez simples à réaliser.

OUTILS : règle métallique, grande règle plate en bois, crayon ou craie, ruban à masquer, feutre

BASE : peinture satinée unie (voir p. 36-37), cette finition convient parfaitement aux murs, sols et plans de travail

DÉCORER UNE SURFACE ÉTENDUE

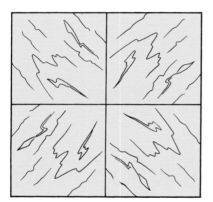 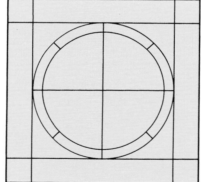 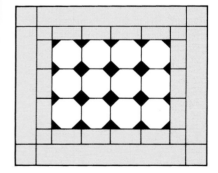

1 Si vous ne cherchez pas à obtenir un effet réaliste, vous pouvez décorer une surface étendue d'un seul tenant. Pour décorer un mur en trompe-l'œil, imitez plutôt un dallage de marbre et laissez libre cours à votre imagination pour le choix du motif. Vous pouvez créer comme ci-dessus un effet miroir.

2 Le motif peut également s'organiser de façon plus complexe. Il faut alors prendre des mesures précises, faire un plan à l'échelle et y reporter le motif.

3 Lorsque vous avez choisi le dessin, reproduisez-le sur la surface à marbrer. Utilisez une règle métallique graduée pour mesurer les distances avec précision et servez-vous d'une craie ou d'un crayon tendre et d'une grande règle plate en bois pour marquer l'emplacement des motifs.

3	2
1	4

4 Divisez le panneau à décorer en plusieurs zones, numérotez-les et choisissez un ordre de travail. Il faudra attendre qu'une zone soit sèche avant de peindre la suivante.

Utilisez du ruban à masquer pour protéger les carrés proches de celui sur lequel vous travaillez. Pendant qu'une zone sèche, peignez une partie non contiguë du motif.

5 Un marbre fantaisie pourra décorer une zone de grandes dimensions. Si, au contraire, vous souhaitez obtenir un effet réaliste, matérialisez les dalles en dessinant leurs contours au crayon tendre. Vernissez la surface décorée pour la protéger, surtout dans les lieux de passage.

AMBIANCE FEUTRÉE
Les effets marbrés peuvent être utilisées avec des tons doux et à la manière des impressionnistes pour créer une atmosphère calme et reposante.

VEINER LE MARBRE
Prenez votre temps, ne travaillez que sur un seul panneau à la fois, sans le surcharger. Sachez que les veines du marbre ne sont jamais parallèles ni disposées en toile d'araignée. Leur largeur varie et elles peuvent se croiser.

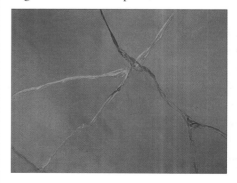

Impression bois

On peut imiter le bois d'une façon réaliste et naturelle ou, au contraire, utiliser des couleurs complètement irréelles. Ainsi, un contreplaqué ou un panneau d'aggloméré peuvent recevoir une finition qui imite un bois précieux. La texture du bois peut être obtenue avec un peigne ou avec un berceau à faux bois. Le berceau a une surface curviligne et striée, il doit être appliqué avec des petits balancements fermes. Faites des essais pour vous familiariser avec cette technique.

Avec un peigne
OUTILS : brosse de décorateur (25 mm), brosse souple, peigne (en métal ou en caoutchouc)

PRODUITS : housse de protection, glacis en 1 couleur (voir p. 54-55), tissu absorbant

BASE : bois peint avec une peinture satinée unie (voir p. 36-37)

Avec un berceau à faux bois
OUTILS : brosse de décorateur (25 mm), règle plate en bois, berceau à faux bois

PRODUITS : housse de protection, glacis en 1 couleur (voir p. 54-55), vernis, tissu absorbant

BASE : peinture satinée unie (voir p. 36-37)

UTILISER UN PEIGNE

1 Appliquez le glacis à la brosse en courbes irrégulières. Passez le peigne sur tout le glacis, en l'essuyant avec le tissu absorbant entre chaque application.

2 Estompez le contour des motifs obtenus en passant une brosse souple sur l'ensemble de la surface.

3 Enveloppez votre index dans un morceau de tissu absorbant et parcourez le glacis avec des mouvements circulaires irréguliers.

4 Repassez la brosse souple, jusqu'à ce que vous soyez satisfait du résultat obtenu. Lorsque le glacis est sec, appliquez une couche de vernis.

UTILISER UN BERCEAU À FAUX BOIS

1 Appliquez le glacis à la brosse uniformément. Les coups de brosse imitent grossièrement les fibres du bois.

2 Pour imiter un revêtement en bois, posez la règle sur la surface pour guider le berceau que vous faites glisser le long du glacis en lui imprimant des petits mouvement d'avant en arrière.

3 Déplacez-vous le long du mur, et déterminez des bandes bien parallèles, un peu plus larges que le berceau. Suivez pour chaque bande le déroulement de l'étape 2.

4 Le résultat obtenu montre l'imitation parfaite d'un lambris. Lorsque le glacis est sec, protégez-le en appliquant une couche de vernis.

DES REFLETS IRRISÉS

Pour un effet fantaisie, n'ayez pas peur de choisir des couleurs éclatantes. Les photos ci-contre illustrent les résultats obtenus en utilisant des couleurs vives et en faisant chevaucher les passages du berceau.

TRUCS ET ASTUCES

On trouve dans le commerce des glacis à l'huile préteintés couleur bois. Appliquez sur la règle un peu de lubrifiant, de la silicone par exemple, pour faciliter le glissement vertical du berceau à faux bois.

Glossaire

Berceau à faux bois
Outil présentant une surface curviligne et striée, qui sert à imiter le dessin du bois.

Brosses à moucheter
Brosses à poils longs existant en différentes tailles, utilisées pour obtenir un effet de pointillés sur un glacis.

Brosses souples
Pour adoucir et estomper les finitions de peinture. Les meilleures sont en poils de blaireau, à éviter pour des raisons écologiques.

Céruser
Crée une finition originale, par l'application d'une pâte blanchâtre qui s'accumule dans les creux d'une surface en bois présentant des reliefs.

Chiffons
En pur coton ou en coton et polyester mélangés. Propres. Rectangulaires (20 x 30 cm) ou carrés (30 x 30 cm). Pour appliquer ou étaler une peinture à l'eau ou un glacis.

Colorant universel
Substance fortement pigmentée, utilisée pour teinter une peinture ou un glacis.

Couleurs complémentaires
Couleurs qui sont diamétralement opposées sur la roue chromatique et qui, à elles deux, regroupent toutes les nuances du spectre.

Couleurs primaires
Couleurs de base (jaune, bleu et rouge), à partir desquelles toutes les autres couleurs peuvent être obtenues.

Craquelures
Peuvent être obtenues avec différentes techniques, les plus fines sont réalisées avec du vernis à patiner et de la gomme arabique.

Crème à dorer
Donne une patine ancienne à certaines finitions. Peut être appliquée notamment sur un vernis à craquelures.

Détrempe
Solution de peinture à l'eau appliquée avec une éponge ou avec un chiffon.

Effet marbré
Finition de peinture qui imite le marbre d'une manière réaliste ou fantaisie.

Émulsion
Peinture à l'eau mate ou brillante, facile à appliquer et séchant rapidement.

Éponges

Utilisez-les pour appliquer une détrempe. Procurez-vous de préférence une éponge naturelle.

Essuyer une couleur

Enlever partiellement un ou plusieurs glacis en utilisant, selon le support, une raclette ou un chiffon en tissu absorbant.

Glacis

Médium transparent qui peut être teinté. Très utilisé pour les effets de peintures. Le glacis à l'huile sèche lentement, il permet un temps de travail relativement long.

Glacis acrylique à craquelures

Médium qui crée des craquelures en séparant deux peintures à l'eau de couleur différente.

Gomme arabique

Appelée aussi vernis à craquelures. Utilisée avec du vernis à patiner pour réaliser de fines craquelures.

Papier de verre

Papier abrasif à grain plus ou moins fin, utilisé pour poncer différentes surfaces.

Peignes

En métal ou en caoutchouc, on les utilise pour obtenir un effet peigné et pour imiter le bois.

Peinture acrylique

Peinture à l'eau séchant rapidement et constituant une base imperméable.

Peinture à l'huile en tube

Peinture à base de térébenthine, très pigmentée, idéale pour teinter les glacis à l'huile.

Peinture pour pochoir

Peinture à l'eau qui sèche très rapidement et offre un choix étendu de couleurs intenses avec lesquels on teinte les glacis.

Peinture satinée

Base idéale pour la plupart des finitions au glacis.

Plumes

Sont très utiles, lorsqu'on crée un marbre en trompe-l'œil, pour dessiner les veines.

Vernis

À l'eau ou à l'huile, ils sont utilisés pour protéger les surfaces.

Index

Les auteurs et les éditeurs tiennent à remercier les personnes suivantes
pour leur aide dans l'élaboration de cet ouvrage

Janice Frost et sa famille, Jenny Martin, Marina Tzirka et l'église grecque orthodoxe,
Stephanie et Kavan Hashemi Brown, les frères Allen de Birmingham,
James et Sandra Crow, Sue Cassels, Jackie Steadman, Alison et Mark Rowley,
Mrs Piper, Bill et Lorraine Graham, Jackie Gilbert

Jessica Earle

Tous les employés de Paula et Peter Knott sans lesquels ils n'auraient pu rédiger ce livre